Éric-Emmanuel Schmitt

Monsieur Ibrahim et les Fleurs du Coran

Présentation, notes, questions et après-texte établis par

JOSIANE GRINFAS-BOUCHIBTI

professeur de Lettres

Sommaire

PRÉSENTATION
Le destin de *Monsieur Ibrahim et les Fleurs du Coran* 5

MONSIEUR IBRAHIM ET LES FLEURS DU CORAN
Texte intégral 9

Après-texte

POUR COMPRENDRE
Étapes 1 à 8 (questions) 68

GROUPEMENTS DE TEXTES
I) Contes soufis 85
II) Rencontres décisives 92

INTERVIEW EXCLUSIVE
Éric-Emmanuel Schmitt répond
aux questions de Josiane Grinfas-Bouchibti 101

INFORMATION/DOCUMENTATION
Bibliographie, filmographie, sites Internet, visite 109

LE DESTIN DE *MONSIEUR IBRAHIM ET LES FLEURS DU CORAN*

Monsieur Ibrahim et les Fleurs du Coran, c'est une histoire qui dure. D'abord, Éric-Emmanuel Schmitt a écrit une pièce, le monologue d'un adulte qui se souvient : Momo. Ce spectacle est créé, mis en scène et interprété en décembre 1999 par Bruno Abraham-Kremer. Il a été écrit pour ce comédien et lui est dédié. Dans un entretien donné en juin 2003, Éric-Emmanuel Schmitt confie : « J'ai eu une enfance très heureuse, mais je suis entouré de gens qui ont été mal-aimés, dont je connais bien les histoires. Celle de Momo a été très largement inspirée par l'acteur auquel j'ai dédié ce texte, Bruno Abraham-Kremer. L'histoire de Popol, c'est la sienne, ce frère modèle dont on lui parle sans cesse, qui était mieux que lui, mais qui est parti, tandis que lui était là. »* La pièce a été reprise au festival « off » d'Avignon en juillet 2002 et est, depuis, régulièrement à l'affiche.

Ensuite, le spectacle est devenu cette fable que vous allez lire. Elle porte le nom d'un épicier, le sage Ibrahim, celui dont Momo se souvient dans la pièce… Ibrahim sort aussi un peu de la mémoire d'Éric-Emmanuel Schmitt : il ressemble à son grand-père qui fabriquait des bijoux, immobile sur son tabouret, dans son atelier. Comme celles d'Ibrahim, « ses phrases étaient toujours brèves. Il disait des choses intelligentes mais simples, qui sortaient du cœur »*, raconte l'auteur. « Il avait toujours l'air de s'émerveiller. Il voyait la beauté du monde. »*

Ibrahim est un soufi, un musulman poète qui prie en dansant et en écoutant son cœur. Il reconnaît parmi ses maîtres un certain

Rumi, mystique et sage du XIIIe siècle. Rumi avait pour ami un bijoutier, Salahaddin Zerkoubi, et c'est en entendant ses marteaux travailler l'or qu'il crut percevoir une invocation du nom d'Allah et qu'il se mit à danser… L'« or » de l'enseignement de Rumi a ébloui – ce sont ses mots – Éric-Emmanuel Schmitt. Car il est question de lumière, dans cette fable : celle de la sagesse, de la tolérance. Avant de devenir écrivain, Éric-Emmanuel Schmitt a été professeur de philosophie : c'est peut-être la raison pour laquelle il aime raconter des histoires qui donnent à penser…

Enfin, *Monsieur Ibrahim et les Fleurs du Coran* est devenu un film. Et c'est encore une histoire de lumière. François Dupeyron, le réalisateur, raconte dans le dossier de presse, à propos de sa rencontre avec le texte d'Éric-Emmanuel Schmitt : « C'était l'été, au mois d'août, il faisait chaud. Il y avait beaucoup de lumière. […] Dès les premières pages, je savais. C'est très intuitif, il est difficile de traduire cela en mots. C'est très proche de la rencontre avec un être humain. »* *Monsieur Ibrahim et les Fleurs du Coran* est présenté au Festival de Cannes en mai 2003 et sort sur les écrans en septembre de la même année. Omar Sharif, qui incarne monsieur Ibrahim, a reçu pour ce rôle le césar du meilleur comédien, en 2004. Interviewé, Omar Sharif a dit au sujet de la lecture du scénario : « Ce qui m'a plu, c'est qu'il s'agit d'un film d'amour, un film sur l'humain, sur l'échange. Le fait que l'un soit juif et l'autre musulman est une incidence, la relation aurait été la même. »

*** Les citations sont tirées du dossier de presse du film, © ARP.**

Éric-Emmanuel Schmitt

Monsieur Ibrahim et les Fleurs du Coran

À onze ans, j'ai cassé mon cochon et je suis allé voir les putes.

Mon cochon, c'était une tirelire en porcelaine vernie, couleur de vomi, avec une fente qui permettait à la pièce d'entrer mais pas de sortir. Mon père l'avait choisie, cette tirelire à sens unique, parce qu'elle correspondait à sa conception de la vie : l'argent est fait pour être gardé, pas dépensé.

Il y avait deux cents francs dans les entrailles[1] du cochon. Quatre mois de travail.

Un matin, avant de partir au lycée, mon père m'avait dit :

– Moïse, je ne comprends pas… Il manque de l'argent… désormais, tu inscriras sur le cahier de la cuisine tout ce que tu dépenses lorsque tu fais les courses.

Donc, ce n'était pas suffisant de me faire engueuler au lycée comme à la maison, de laver, d'étudier, de cuisiner, de porter les commissions, pas suffisant de vivre seul dans un grand appartement noir, vide et sans amour, d'être l'esclave plutôt que le fils d'un avocat sans affaires et sans femme, il fallait aussi que je passe pour un voleur ! Puisque j'étais déjà soupçonné de voler, autant le faire.

Il y avait donc deux cents francs dans les entrailles du cochon. Deux cents francs, c'était le prix d'une fille, rue de Paradis. C'était le prix de l'âge d'homme.

---

1. À l'intérieur du ventre.

BIEN LIRE

L. 1, « putes », et l. 21, « fille » : Quelle différence d'appréciation et de registre établissez-vous entre ces deux mots ?

L. 22 : Moïse a onze ans : est-ce déjà l'« âge d'homme » ?

Les premières, elles m'ont demandé ma carte d'identité. Malgré ma voix, malgré mon poids – j'étais gros comme un sac de sucreries –, elles doutaient des seize ans que j'annonçais, elles avaient dû me voir passer et grandir, toutes ces dernières années, accroché à mon filet de légumes.

Au bout de la rue, sous le porche[1], il y avait une nouvelle. Elle était ronde, belle comme un dessin. Je lui ai montré mon argent. Elle a souri.

– Tu as seize ans, toi ?

– Ben ouais, depuis ce matin.

On est montés. J'y croyais à peine, elle avait vingt-deux ans, c'était une vieille et elle était toute pour moi. Elle m'a expliqué comment on se lavait, puis comment on devait faire l'amour...

Évidemment, je savais déjà mais je la laissais dire, pour qu'elle se sente plus à l'aise, et puis j'aimais bien sa voix, un peu boudeuse[2], un peu chagrinée. Tout le long, j'ai failli m'évanouir. À la fin, elle m'a caressé les cheveux, gentiment, et elle a dit :

– Il faudra revenir, et me faire un petit cadeau.

Ça a presque gâché ma joie : j'avais oublié le petit cadeau. Ça y est, j'étais un homme, j'avais été baptisé entre les cuisses d'une femme, je tenais à peine sur mes pieds tant mes jambes trem-

1. Partie de l'immeuble qui abrite l'entrée.
2. Fâchée.

BIEN LIRE

L. 24-25 « j'étais gros comme un sac de sucreries » : Quel regard le narrateur porte-t-il sur lui-même ?

L. 38 : Pourquoi manque-t-il de s'évanouir ?

blaient encore et les ennuis commençaient : j'avais oublié le
45 fameux petit cadeau.

Je suis rentré en courant à l'appartement, je me suis rué[1] dans ma chambre, j'ai regardé autour de moi ce que je pouvais offrir de plus précieux, puis j'ai recouru dare-dare[2] rue de Paradis. La fille était toujours sous le porche. Je lui ai donné
50 mon ours en peluche.

C'est à peu près au même moment que j'ai connu monsieur Ibrahim.

Monsieur Ibrahim avait toujours été vieux. Unanimement[3], de mémoire de rue Bleue et de rue du Faubourg-Poissonnière,
55 on avait toujours vu monsieur Ibrahim dans son épicerie, de huit heures du matin au milieu de la nuit, arc-bouté[4] entre sa caisse et les produits d'entretien, une jambe dans l'allée, l'autre sous les boîtes d'allumettes, une blouse grise sur une chemise blanche, des dents en ivoire sous une moustache sèche, et des
60 yeux en pistache, verts et marron, plus clairs que sa peau brune tachée par la sagesse.

Car monsieur Ibrahim, de l'avis général, passait pour un sage. Sans doute parce qu'il était depuis au moins quarante

1. Précipité.
2. Précipitamment.
3. De l'avis de tous sans exception.
4. Appuyé.

BIEN LIRE

L. 49-50 « Je lui ai donné mon ours en peluche » : De quoi la remercie-t-il ?

L. 51-53 : Rappelez l'âge du narrateur.

L. 53 « Monsieur Ibrahim avait toujours été vieux » : Comment comprenez-vous ce paradoxe ?

ans l'Arabe d'une rue juive. Sans doute parce qu'il souriait
65 beaucoup et parlait peu. Sans doute parce qu'il semblait échapper à l'agitation ordinaire des mortels, surtout des mortels parisiens, ne bougeant jamais, telle une branche greffée[1] sur son tabouret, ne rangeant jamais son étal[2] devant qui que ce soit, et disparaissant on ne sait où entre minuit et huit
70 heures du matin.

Tous les jours donc, je faisais les courses et les repas. Je n'achetais que des boîtes de conserve. Si je les achetais tous les jours, ce n'était pas pour qu'elles soient fraîches, non, mais parce que mon père, il ne me laissait l'argent que pour une
75 journée, et puis c'était plus facile à cuisiner !

Lorsque j'ai commencé à voler mon père pour le punir de m'avoir soupçonné, je me suis mis aussi à voler monsieur Ibrahim. J'avais un peu honte mais, pour lutter contre ma honte, je pensais très fort, au moment de payer :

80 *Après tout, c'est qu'un Arabe*[3] *!*

Tous les jours, je fixais les yeux de monsieur Ibrahim et ça me donnait du courage.

Après tout, c'est qu'un Arabe !

– Je ne suis pas arabe, Momo, je viens du Croissant d'Or.

---

1. Qui aurait poussé de.
2. Devanture où sont présentées les marchandises.
3. Personne appartenant au peuple sémite, islamisé, originaire d'Arabie, qui s'est répandu tout autour du bassin méditerranéen. Les Turcs ne sont pas des Arabes.

BIEN LIRE

L. 64-65 : Quelle impression est exprimée par le modalisateur « sans doute » ?

L. 71-75 : Quel détail montre la méfiance du père à l'égard de son fils ?

L. 80 « Après tout, c'est qu'un Arabe ! » : Quel est le ton de cette remarque ?

85 J'ai ramassé mes commissions et suis sorti, groggy[1], dans la rue. Monsieur Ibrahim m'entendait penser ! Donc, s'il m'entendait penser, il savait peut-être aussi que je l'escroquais[2] ?

Le lendemain, je ne dérobai aucune boîte mais je lui demandai :

90 – C'est quoi, le Croissant d'Or ?

J'avoue que, toute la nuit, j'avais imaginé monsieur Ibrahim assis sur la pointe d'un croissant d'or et volant dans un ciel étoilé.

– Cela désigne une région qui va de l'Anatolie[3] jusqu'à la Perse[4], Momo.

95 Le lendemain, j'ajoutai en sortant mon porte-monnaie :

– Je ne m'appelle pas Momo, mais Moïse.

Le lendemain, c'est lui qui ajouta :

– Je sais que tu t'appelles Moïse, c'est bien pour cela que je t'appelle Momo, c'est moins impressionnant.

100 Le lendemain, en comptant mes centimes, je demandai :

– Qu'est-ce que ça peut vous faire à vous ? Moïse, c'est juif, c'est pas arabe.

– Je ne suis pas arabe, Momo, je suis musulman.

– Alors pourquoi on dit que vous êtes l'Arabe de la rue, si

105 vous êtes pas arabe ?

---

1. Comme saoul, étourdi.
2. Je le volais.
3. Région de plateaux, en Turquie.
4. L'Iran.

BIEN LIRE

L. 86 « m'entendait penser » : Est-ce le pouvoir d'un sage ou d'un Dieu ?

L. 98-99 : En quoi le nom « Moïse » est-il impressionnant ?

L. 103 : Quelle différence établissez-vous entre les deux termes ?

– Arabe, Momo, ça veut dire « ouvert de huit heures du matin jusqu'à minuit et même le dimanche » dans l'épicerie.

Ainsi allait la conversation. Une phrase par jour. Nous avions le temps. Lui, parce qu'il était vieux, moi parce que j'étais jeune. Et, un jour sur deux, je volais une boîte de conserve.

Je crois que nous aurions mis un an ou deux à faire une conversation d'une heure si nous n'avions pas rencontré Brigitte Bardot[1].

Grande animation rue Bleue. La circulation est arrêtée. La rue bloquée. On tourne un film.

Tout ce qui a un sexe rue Bleue, rue Papillon et Faubourg-Poissonnière, est en alerte. Les femmes veulent vérifier si elle est aussi bien qu'on le dit ; les hommes ne pensent plus, ils ont le discursif[2] qui s'est coincé dans la fermeture de la braguette. Brigitte Bardot est là ! Eh, la vraie Brigitte Bardot !

Moi, je me suis mis à la fenêtre. Je la regarde et elle me fait penser à la chatte des voisins du quatrième, une jolie petite chatte qui adore s'étirer au soleil sur le balcon, et qui semble ne vivre, ne respirer, ne cligner des yeux que pour provoquer l'admiration. En avisant mieux[3], je découvre aussi qu'elle ressemble vraiment aux putes de la rue de Paradis, sans réaliser qu'en fait, ce sont les putes de la rue de Paradis qui se déguisent en Brigitte

1. Actrice française dite B. B., qui connut son heure de gloire dans les années 60-70 ; image de la femme-enfant, sexy et fatale.
2. Capacité de raisonner et d'exprimer ce raisonnement par des mots.
3. En y regardant de plus près.

BIEN LIRE

L. 106-107 : Connaissez-vous, comme Momo, un « Arabe dans l'épicerie » ?

L. 111-113 : Quelle est la fonction de cet événement ?

Bardot pour attirer le client. Enfin, au comble de la stupeur, je m'aperçois que monsieur Ibrahim est sorti sur le pas de sa porte. Pour la première fois – depuis que j'existe, du moins – il a quitté son tabouret.

Après avoir observé le petit animal Bardot s'ébrouer[1] devant les caméras, je songe à la belle blonde qui possède mon ours et je décide de descendre chez monsieur Ibrahim et de profiter de son inattention pour escamoter[2] quelques boîtes de conserve. Catastrophe ! Il est retourné derrière sa caisse. Ses yeux rigolent en contemplant la Bardot, par-dessus les savons et les pinces à linge. Je ne l'ai jamais vu comme ça.

– Vous êtes marié, monsieur Ibrahim ?

– Oui, bien sûr que je suis marié.

Il n'est pas habitué à ce qu'on lui pose des questions.

À cet instant-là, j'aurais pu jurer que monsieur Ibrahim n'était pas aussi vieux que tout le monde le croyait.

– Monsieur Ibrahim ! Imaginez que vous êtes dans un bateau, avec votre femme et Brigitte Bardot. Votre bateau coule. Qu'est-ce que vous faites ?

– Je parie que ma femme, elle sait nager.

J'ai jamais vu des yeux rigoler comme ça, ils rigolent à gorge déployée, ses yeux, ils font un boucan[3] d'enfer.

1. S'agiter, s'étirer.
2. Voler avec adresse, subtiliser.
3. Bruit.

BIEN LIRE

L. 137 « la Bardot » : Quel est l'effet créé par l'utilisation de l'article défini ?

L. 147 : Complétez et expliquez la boutade (la plaisanterie).

150 Soudain, branle-bas de combat, monsieur Ibrahim se met au garde-à-vous : Brigitte Bardot entre dans l'épicerie.

– Bonjour, monsieur, est-ce que vous auriez de l'eau ?

– Bien sûr, mademoiselle.

Et là, l'inimaginable arrive : monsieur Ibrahim, il va lui-même 155 chercher une bouteille d'eau sur un rayon et il la lui apporte.

– Merci, monsieur. Combien je vous dois ?

– Quarante francs, mademoiselle.

Elle en a un haut-le-corps[1], la Brigitte. Moi aussi. Une bouteille d'eau ça valait deux balles, à l'époque, pas quarante.

160 – Je ne savais pas que l'eau était si rare, ici.

– Ce n'est pas l'eau qui est rare, mademoiselle, ce sont les vraies stars.

Il a dit cela avec tant de charme, avec un sourire tellement irrésistible que Brigitte Bardot, elle rougit légèrement, elle sort 165 ses quarante francs et elle s'en va.

Je n'en reviens pas.

– Quand même, vous avez un de ces culots, monsieur Ibrahim.

– Eh, mon petit Momo, il faut bien que je me rembourse 170 toutes les boîtes que tu me chouraves[2].

C'est ce jour-là que nous sommes devenus amis.

1. Sursaut.
2. Voles

BIEN LIRE

L. 160-165 : Quelles qualités « la Bardot » et monsieur Ibrahim partagent-ils ?

L. 171 : Sur quoi cette amitié se fonde-t-elle ? Quel en est le déclencheur ?

C'est vrai que, à partir de là, j'aurais pu aller les escamoter ailleurs, mes boîtes, mais monsieur Ibrahim, il m'a fait jurer :

– Momo, si tu dois continuer à voler, viens les voler chez moi.

Et puis, dans les jours qui suivirent, monsieur Ibrahim me donna plein de trucs pour soutirer[1] de l'argent à mon père sans qu'il s'en rende compte : lui servir du vieux pain de la veille ou de l'avant-veille passé dans le four ; ajouter progressivement de la chicorée[2] dans le café ; resservir les sachets de thé ; allonger son beaujolais habituel avec du vin à trois francs et le couronnement, l'idée, la vraie, celle qui montrait que monsieur Ibrahim était expert dans l'art de faire chier le monde, remplacer la terrine campagnarde par des pâtés pour chiens.

Grâce à l'intervention de monsieur Ibrahim, le monde des adultes s'était fissuré[3], il n'offrait pas le même mur uniforme contre lequel je me cognais, une main se tendait à travers une fente.

J'avais de nouveau économisé deux cents francs, j'allais pouvoir me reprouver que j'étais un homme.

Rue de Paradis, je marchais droit vers le porche où se tenait la nouvelle propriétaire de mon ours. Je lui apportai un coquillage qu'on m'avait offert, un vrai coquillage, qui venait de la mer, de la vraie mer.

1. Prendre, enlever.
2. Racine qui, torréfiée, peut être mélangée au café, voire le remplacer.
3. Lézardé, ouvert.

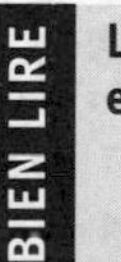

L. 185 : Par qui le monde des adultes est-il représenté dans la vie de Momo ?

La fille me fit un sourire.

À ce moment-là, surgirent de l'allée un homme qui courait comme un rat, puis une pute qui le poursuivait en criant :

– Au voleur ! Mon sac ! Au voleur !

Sans hésiter une seconde, j'ai tendu ma jambe en avant. Le voleur s'est étalé quelques mètres plus loin. J'ai bondi sur lui. Le voleur m'a regardé, il a vu que je n'étais qu'un môme, il a souri, prêt à me foutre une raclée, mais comme la fille a déboulé dans la rue en hurlant toujours plus fort, il s'est ramassé sur ses jambes et il a décampé[1]. Heureusement, les cris de la putain m'avaient servi de muscles.

Elle s'est approchée, chancelante[2] sur ses hauts talons. Je lui ai tendu son sac, qu'elle a serré, ravie, contre sa poitrine opulente[3] qui savait si bien gémir.

– Merci, mon petit. Qu'est-ce que je peux faire pour toi ? Tu veux que je t'offre une passe ?

Elle était vieille. Elle avait bien trente ans. Mais, monsieur Ibrahim me l'avait toujours dit, il ne faut pas vexer une femme.

– O.K.

Et nous sommes montés. La propriétaire de mon ours avait l'air outrée[4] que sa collègue m'ait volé à elle. Lorsque nous sommes passés devant elle, elle me glissa à l'oreille :

---

1. Il s'est sauvé.
2. Vacillante, perdant l'équilibre.
3. Généreuse, développée.
4. Scandalisée.

BIEN LIRE

L. 195-197 : Qui peut être ce voleur ? Quels sont les dangers liés à l'exercice de la prostitution ?

– Viens demain. Moi aussi, je te le ferai gratuit.

Je n'ai pas attendu le lendemain…

Monsieur Ibrahim et les putes me rendaient la vie avec mon père encore plus difficile. Je m'étais mis à faire un truc épou-220 vantable et vertigineux : des comparaisons. J'avais toujours froid lorsque j'étais auprès de mon père. Avec monsieur Ibrahim et les putes, il faisait plus chaud, plus clair.

Je regardais la haute et profonde bibliothèque héréditaire[1], tous ces livres censés contenir la quintessence[2] de l'esprit humain, l'in-225 ventaire[3] des lois, la subtilité[4] de la philosophie, je les regardais dans l'obscurité – Moïse, ferme les volets, la lumière bouffe les reliures – puis je regardais mon père lire dans son fauteuil, isolé dans le rond du lampadaire qui se tenait, telle une conscience jaune, au-dessus de ses pages. Il était clos dans les murs de sa 230 science, il ne faisait pas plus attention à moi qu'à un chien – d'ailleurs, il détestait les chiens –, il n'était même pas tenté de me jeter un os de son savoir. Si je faisais un peu de bruit…

– Oh, pardon.

– Moïse, tais-toi. Je lis. Je travaille, moi…

235 Travailler, ça c'était le grand mot, la justification absolue…

– Pardon, papa.

1. Héritée des parents et grands-parents.
2. L'essentiel.
3. La liste détaillée.
4. Finesse.

BIEN LIRE

L. 226-227 : Qui prend la parole ?
L. 230 : Que pouvez-vous dire de la comparaison ?
L. 234 : Que sous-entendent le « moi » et les points de suspension ?

– Ah, heureusement que ton frère Popol n'était pas comme ça.

Popol, c'était l'autre nom de ma nullité. Mon père me lançait toujours à la figure le souvenir de mon frère aîné, Popol, lorsque je faisais quelque chose de mal. « Popol, il était très assidu[1], à l'école. Popol, il aimait les maths, il ne salissait jamais la baignoire. Popol, il faisait pas pipi à côté des toilettes. Popol, il aimait tant lire les livres qu'aimait papa. »

Au fond, ce n'était pas plus mal que ma mère soit partie avec Popol, peu de temps après ma naissance, parce que c'était déjà difficile de se battre avec un souvenir mais alors vivre auprès d'une perfection vivante comme Popol, ça, ça aurait été au-dessus de mes forces.

– Papa, tu crois qu'il m'aurait aimé, Popol ?

Mon père me dévisage, ou plutôt me déchiffre, avec effarement[2].

– Quelle question !

Voici ma réponse : Quelle question !

J'avais appris à regarder les gens avec les yeux de mon père. Avec méfiance, mépris… Parler avec l'épicier arabe, même s'il n'était pas arabe – puisque « arabe, ça veut dire ouvert la nuit et le dimanche, dans l'épicerie » –, rendre service aux putes, c'étaient des choses que je rangeais dans un tiroir secret de mon esprit, cela ne faisait pas partie officiellement de ma vie.

1. Il fréquentait sans manquer.
2. Stupéfaction.

L. 259 : Comment comprenez-vous l'adverbe « officiellement » ?

– Pourquoi est-ce que tu ne souris jamais, Momo ? me demanda monsieur Ibrahim.

Ça, c'était un vrai coup de poing, cette question, un coup de vache, je n'étais pas préparé.

– Sourire, c'est un truc de gens riches, monsieur Ibrahim. J'ai pas les moyens.

Justement, pour m'emmerder, il se mit à sourire.

– Parce que tu crois que, moi, je suis riche ?

– Vous avez tout le temps des billets dans la caisse. Je connais personne qui a autant de billets devant lui toute la journée.

– Mais les billets, ils me servent à payer la marchandise, et puis le local. Et à la fin du mois, il m'en reste très peu, tu sais.

Et il souriait encore plus, comme pour me narguer[1].

– M'sieur Ibrahim, quand je dis que c'est un truc de gens riches, le sourire, je veux dire que c'est un truc pour les gens heureux.

– Eh bien, c'est là que tu te trompes. C'est sourire, qui rend heureux.

– Mon œil.

– Essaie.

– Mon œil, je dis.

– Tu es poli pourtant, Momo ?

– Bien obligé, sinon je reçois des baffes.

---

1. Se moquer de moi, me provoquer.

BIEN LIRE

L. 264-275 : Qu'est-ce qui frappe dans l'analyse que fait Momo de la réalité ?

– Poli, c'est bien. Aimable, c'est mieux. Essaie de sourire, tu verras.

285 Bon, après tout, demandé gentiment comme ça, par monsieur Ibrahim, qui me refile en douce une boîte de choucroute garnie qualité supérieure, ça s'essaie…

Le lendemain, je me comporte vraiment comme un malade qu'aurait été piqué pendant la nuit : je souris à tout le monde.

290 – Non, madame, j'm'excuse, je n'ai pas compris mon exercice de maths.

Vlan : sourire !

– J'ai pas pu le faire !

– Eh bien, Moïse, je vais te le réexpliquer.

295 Du jamais-vu. Pas d'engueulade, pas d'avertissement. Rien.

À la cantine…

– J'pourrais en avoir encore un peu, d'la crème de marron ?

Vlan : sourire !

– Oui, avec du fromage blanc…

300 Et je l'obtiens.

À la gym, je reconnais que j'ai oublié mes chaussures de tennis.

Vlan : sourire !

– Mais elles étaient en train de sécher, m'sieur…

L. 283 : Quel est le sens étymologique de l'adjectif « aimable » ?
L. 290-292 : Où Momo met-il d'abord à l 'épreuve le « truc » de monsieur Ibrahim ?

305 Le prof, il rit et me tapote l'épaule.

C'est l'ivresse. Plus rien ne me résiste. Monsieur Ibrahim m'a donné l'arme absolue. Je mitraille[1] le monde entier avec mon sourire. On ne me traite plus comme un cafard.

En rentrant du collège, je file rue de Paradis. Je demande à la 310 plus belle des putes, une grande Noire qui m'a toujours refusé :

– Hé !

Vlan : sourire !

– On monte ?[2]

– Tu as seize ans ?

315 – Bien sûr que j'ai seize ans, depuis le temps !

Vlan : sourire !

On monte.

Et après, je lui raconte en me rhabillant que je suis journaliste, que je fais un grand livre sur les prostituées…

320 Vlan : sourire !

… que j'ai besoin qu'elle me raconte un peu sa vie, si elle veut bien.

– C'est bien vrai, ça, que tu es journaliste ?

Vlan : sourire !

325 – Oui, enfin, étudiant en journalisme…

Elle me parle. Je regarde ses seins palpiter[3] doucement lors-

1. Tire sur, bombarde.
2. On monte dans ma chambre ?
3. Battre au rythme du cœur.

BIEN LIRE

L. 308 : Qui est désigné par le pronom indéfini « on » ?

qu'elle s'anime. Je n'ose pas y croire. Une femme me parle, à moi. Une femme. Sourire. Elle parle. Sourire. Elle parle.

Le soir, lorsque mon père rentre, je l'aide à retirer son manteau comme d'habitude et je me glisse devant lui, dans la lumière, pour être sûr qu'il me voit.

– Le repas est prêt.

Vlan : sourire !

Il me regarde avec étonnement.

Je continue à sourire. C'est fatigant, en fin de journée, mais je tiens le coup.

– Toi, tu as fait une connerie.

Là, le sourire disparaît.

Mais je ne désespère pas.

Au dessert, je ressaie.

Vlan : sourire !

Il me dévisage avec malaise.

– Approche-toi, me dit-il.

Je sens que mon sourire est en train de gagner. Hop, une nouvelle victime. Je m'approche. Peut-être veut-il m'embrasser ? Il m'a dit une fois que Popol, lui, il aimait bien l'embrasser, que c'était un garçon très câlin. Peut-être que Popol, il avait compris le truc du sourire dès sa naissance ? Ou alors que ma mère avait eu le temps de lui apprendre, à Popol.

L. 327-328 « Une femme me parle, à moi » : Quelle est l'origine de cette stupeur ?

L. 336 « je tiens le coup » : Comment Momo conçoit-il cette expérience du sourire ?

Je suis près de mon père, contre son épaule. Ses cils battent dans ses yeux. Moi je souris à me déchirer la bouche.

– Il va falloir te mettre un appareil. Je n'avais jamais remarqué que tu avais les dents en avant.

C'est ce soir-là que je pris l'habitude d'aller voir monsieur Ibrahim la nuit, une fois que mon père était couché.

– C'est de ma faute, si j'étais comme Popol, mon père m'aimerait plus facilement.

– Qu'est-ce que tu en sais ? Popol, il est parti.

– Et alors ?

– Peut-être qu'il ne supportait pas ton père.

– Vous croyez ?

– Il est parti. C'est bien une preuve, ça.

Monsieur Ibrahim me donna sa monnaie jaune pour que j'en fasse des rouleaux. Ça me calmait un peu.

– Vous l'avez connu, vous, Popol ? Monsieur Ibrahim, vous l'avez connu, Popol ? Qu'est-ce que vous en pensiez, vous, de Popol ?

Il a donné un coup sec dans sa caisse, comme pour éviter qu'elle parle.

– Momo, je vais te dire une chose : je te préfère cent fois, mille fois, à Popol.

– Ah bon ?

BIEN LIRE

L. 352-353 : En quoi la réaction du père est-elle terrible ?
L. 354-355 : Quelle conséquence cette réaction a-t-elle sur la relation entre Momo et monsieur Ibrahim ?

J'étais assez content mais je ne voulais pas le montrer. Je fermais les poings et je montrais un peu les dents. Faut défendre
375 sa famille.

– Attention, je vous permets pas de dire du mal de mon frère. Qu'est-ce que vous aviez contre Popol ?

– Il était très bien, Popol, très bien. Mais, tu m'excuseras, je préfère Momo.

380 J'ai été bon prince[1] : je l'ai excusé.

Une semaine plus tard, monsieur Ibrahim, il m'a envoyé voir un ami à lui, le dentiste de la rue Papillon. Décidément, il avait le bras long[2], monsieur Ibrahim. Et le lendemain, il m'a dit :

– Momo, souris moins, ça suffira bien. Non, c'est une
385 blague… Mon ami m'a assuré que tes dents, elles n'ont pas besoin d'appareil.

Il s'est penché vers moi, avec ses yeux qui rigolent.

– Imagine-toi, rue de Paradis, avec de la ferraille dans la bouche : à laquelle tu pourrais encore faire croire que tu as seize
390 ans ?

Là, il avait marqué un sacré but, monsieur Ibrahim. Du coup, c'est moi qui lui ai demandé des pièces de monnaie, pour me remettre l'esprit en place.

1. J'ai été indulgent.
2. Il avait des relations.

BIEN LIRE

L. 379 : Monsieur Ibrahim emploie le nom de Momo à la place de la deuxième personne du singulier : dans quelle intention ?

L. 391-393 : Comment les paroles de monsieur Ibrahim font-elles leur chemin dans l'esprit de Momo ?

– Comment vous savez tout ça, monsieur Ibrahim ?

– Moi, je ne sais rien. Je sais juste ce qu'il y a dans mon Coran. J'ai fait encore quelques rouleaux.

– Momo, c'est très bien d'aller chez des professionnelles. Les premières fois, il faut toujours aller chez des professionnelles, des femmes qui connaissent bien le métier. Après, quand tu y mettras des complications, des sentiments, tu pourras te contenter d'amateurs[1].

Je me sentais mieux.

– Vous y allez, vous, parfois, rue de Paradis ?

– Le Paradis est ouvert à tous.

– Oh, vous charriez[2], monsieur Ibrahim, vous n'allez pas me dire que vous y allez encore, à votre âge !

– Pourquoi ? C'est réservé aux mineurs ?

Là, j'ai senti que j'avais dit une connerie.

– Momo, qu'est-ce que tu dirais de faire une promenade avec moi ?

– Ah bon, vous marchez des fois, monsieur Ibrahim ?

Et voilà, j'avais encore dit une connerie. Alors, j'ai ajouté un grand sourire.

– Non, je veux dire, je vous ai toujours vu sur ce tabouret.

N'empêche, j'étais vachement content.

1. Personnes qui ne sont pas des professionnelles.
2. Exagérez, plaisantez.

BIEN LIRE

L. 403-404 : Expliquez le jeu de mots.

L. 407 : Contre quelle idée reçue monsieur Ibrahim s'insurge-t-il ?

Le lendemain, monsieur Ibrahim m'emmena à Paris, le Paris joli, celui des photos, des touristes. Nous avons marché le long de la Seine, qui n'est pas vraiment droite.

– Regarde, Momo, la Seine adore les ponts, c'est comme une
420 femme qui raffole des bracelets.

Puis on a marché dans les jardins des Champs-Élysées, entre les théâtres et le guignol[1]. Puis rue du Faubourg-Saint-Honoré, où il y avait plein de magasins qui portaient des noms de marque, Lanvin, Hermès, Saint Laurent, Cardin... ça faisait
425 drôle, ces boutiques immenses et vides, à côté de l'épicerie de monsieur Ibrahim, qui était pas plus grande qu'une salle de bains, mais qui n'avait pas un cheveu d'inoccupé, où on trouvait, empilés du sol au plafond, d'étagère en étagère, sur trois rangs et quatre profondeurs, tous les articles de première, de
430 deuxième... et même de troisième nécessité[2].

– C'est fou, monsieur Ibrahim, comme les vitrines de riches sont pauvres. Y a rien là-dedans.

– C'est ça, le luxe, Momo, rien dans la vitrine, rien dans le magasin, tout dans le prix.

435 On a fini dans les jardins secrets du Palais-Royal où là, monsieur Ibrahim m'a payé un citron pressé et a retrouvé son immobilité légendaire sur un tabouret de bar, à sucer lentement une Suze anis[3].

– Ça doit être chouette d'habiter Paris.

---

1. Théâtre de marionnettes.
2. Dont on n'a pas vraiment besoin.
3. Un apéritif.

440 – Mais tu habites Paris, Momo.

– Non, moi j'habite rue Bleue.

Je le regardais savourer sa Suze anis.

– Je croyais que les musulmans, ça ne buvait pas d'alcool.

– Oui, mais moi je suis soufi[1].

445 Bon, là, j'ai senti que je devenais indiscret, que monsieur Ibrahim ne voulait pas me parler de sa maladie – après tout, c'était son droit ; je me suis tu jusqu'à notre retour rue Bleue.

Le soir, j'ai ouvert le Larousse de mon père. Fallait vraiment que je sois inquiet pour monsieur Ibrahim, parce que, vrai-450 ment, j'ai toujours été déçu par les dictionnaires.

« Soufisme : courant mystique de l'islam, né au VIIIe siècle. Opposé au légalisme, il met l'accent sur la religion intérieure. »

Voilà, une fois de plus ! Les dictionnaires n'expliquent bien que les mots qu'on connaît déjà.

455 Enfin, le soufisme n'était pas une maladie, ce qui m'a déjà rassuré un peu, c'était une façon de penser – même s'il y a des façons de penser qui sont aussi des maladies, disait souvent monsieur Ibrahim. Après quoi, je me suis lancé dans un jeu de piste, pour

1. Adepte du soufisme, doctrine mystique qui s'est développée au sein de l'islam.

BIEN LIRE

L. 439-441 : Que représente la rue Bleue dans la géographie personnelle de Momo ?

L. 443 : Quel est l'autre interdit de la religion musulmane ?

L. 450 : Qu'est-ce qu'un adolescent peut bien attendre du dictionnaire ?

L. 456-457 : Comment monsieur Ibrahim entretient-il la curiosité intellectuelle de son jeune ami ?

essayer de comprendre tous les mots de la définition. De tout ça, il ressortait que monsieur Ibrahim avec sa Suze anis croyait en Dieu à la façon musulmane, mais d'une façon qui frisait la contrebande[1], car « opposé au légalisme » et ça, ça m'a donné du fil à retordre[2]... parce que si le légalisme était bien le « souci de respecter minutieusement la loi », comme disaient les gens du dictionnaire... ça voulait dire en gros des choses a priori vexantes, à savoir que monsieur Ibrahim, il était malhonnête, donc que mes fréquentations n'étaient pas fréquentables. Mais en même temps, si respecter la loi, c'était faire avocat, comme mon père, avoir ce teint gris, et tant de tristesse dans la maison, je préférais être contre le légalisme avec monsieur Ibrahim. Et puis les gens du dictionnaire ajoutaient que le soufisme avait été créé par deux mecs anciens, al-Halladj et al-Ghazali, qu'avaient des noms à habiter dans des mansardes au fond de la cour – en tout cas rue Bleue –, et ils précisaient que c'était une religion intérieure, et ça, c'est sûr qu'il était discret, monsieur Ibrahim, par rapport à tous les juifs de la rue, il était discret.

Pendant le repas, je n'ai pas pu m'empêcher d'interroger mon père, qui était en train d'avaler un ragoût d'agneau, tendance Royal Canin[3].

1. Qui était presque illégale, frauduleuse.
2. Ça m'a posé des difficultés.
3. Nourriture pour animaux.

BIEN LIRE

L. 467-476 : Quels arguments Momo retient-il en faveur de la religion de monsieur Ibrahim ?

L. 472-473 : Donnez une expression familière synonyme de « qu'avaient des noms à habiter dans des mansardes au fond de la cour ».

480 – Papa, est-ce que tu crois en Dieu ?

Il m'a regardé. Puis il a dit lentement :

– Tu deviens un homme, à ce que je vois.

Je ne voyais pas le rapport. Un instant même, je me suis demandé si quelqu'un ne lui avait pas rapporté que j'allais voir 485 les filles rue de Paradis. Mais il ajouta :

– Non, je ne suis jamais arrivé à croire en Dieu.

– Jamais arrivé ? Pourquoi ? Faut faire des efforts ?

Il regarda la pénombre[1] de l'appartement autour de lui.

– Pour croire que tout ça a un sens ? Oui. Il faut faire de gros 490 efforts.

– Mais papa, on est juifs, nous, enfin toi et moi.

– Oui.

– Et être juif, ça n'a aucun rapport avec Dieu ?

– Pour moi ça n'en a plus. Être juif, c'est simplement avoir 495 de la mémoire. Une mauvaise mémoire.

Et là, il avait vraiment la tête d'un type qui a besoin de plusieurs aspirines. Peut-être parce qu'il avait parlé, une fois n'est pas coutume. Il se leva et il alla se coucher directement.

Quelques jours après, il revint à la maison encore plus pâle 500 que d'habitude. J'ai commencé à me sentir coupable. Je me suis

1. Quasi-obscurité.

BIEN LIRE

L. 495 : Pourquoi le père corrige-t-il sa définition en parlant de « mauvaise mémoire » ? À quels souvenirs fait-il allusion ?

L. 497-498 : Quel est le nom commun qui désigne l'état de celui qui ne parle pas, ou presque ?

dit qu'à force de lui faire bouffer de la merde, je lui avais peut-être détraqué la santé.

Il s'est assis et m'a fait signe qu'il voulait me dire quelque chose.

505 Mais il a bien mis dix minutes avant d'y arriver.

– Je suis viré, Moïse. On ne me veut plus dans le cabinet[1] où je travaille. fired

Ça, franchement, moi, ça ne m'étonnait pas beaucoup qu'on n'ait pas envie de travailler avec mon père – il devait forcément

510 déprimer les criminels – mais, en même temps, je n'avais jamais imaginé qu'un avocat ça puisse cesser d'être avocat.

– Il va falloir que je recherche du travail. Ailleurs. Il va falloir se serrer la ceinture, mon petit.

Il est allé se coucher. Visiblement, ça ne l'intéressait pas de

515 savoir ce que j'en pensais.

Je suis descendu voir monsieur Ibrahim qui souriait en mâchant des arachides[2].

– Comment vous faites, vous, pour être heureux, monsieur Ibrahim ?

520 – Je sais ce qu'il y a dans mon Coran.

– Faudrait peut-être un jour que je vous le pique, votre Coran. Même si ça se fait pas, quand on est juif.

---

1. Bureau.
2. Cacahuètes.

BIEN LIRE

L. 521-522 : Quel est le Livre des juifs ?

– Bah, qu'est-ce que ça veut dire, pour toi, Momo, être juif?

– Ben j'en sais rien. Pour mon père, c'est être déprimé toute
25 la journée. Pour moi… c'est juste un truc qui m'empêche d'être autre chose.

Monsieur Ibrahim me tendit une cacahuète.

– Tu n'as pas de bonnes chaussures, Momo. Demain, nous irons acheter des chaussures.

30 – Oui, mais…

– Un homme, ça passe sa vie dans seulement deux endroits : soit son lit, soit ses chaussures.

– J'ai pas l'argent, monsieur Ibrahim.

– Je te les offre. C'est mon cadeau. Momo, tu n'as qu'une seule
35 paire de pieds, il faut en prendre soin. Si des chaussures te blessent, tu les changes. Les pieds, tu ne pourras pas en changer!

Le lendemain, en rentrant du lycée, je trouvai un mot sur le sol, dans le hall sans lumière de notre entrée. Je ne sais pas pourquoi, mais à la vue de l'écriture de mon père, mon cœur se
40 mit immédiatement à battre dans tous les sens :

Moïse,

Excuse-moi, je suis parti. Je n'ai rien en moi pour faire un père. Popo…

BIEN LIRE

L. 524-526 : Quelle approche Momo a-t-il de son « être juif » ? Il dit : « Ben j'en sais rien. » Qui aurait pu lever cette ignorance ?

Et là, c'était barré. Il avait sans doute encore voulu me balancer une phrase sur Popol. Du genre : « avec Popol, j'y serais arrivé, mais pas avec toi » ou bien « Popol, lui, il me donnait la force et l'énergie d'être un père, mais pas toi », bref, une saloperie qu'il avait eu honte d'écrire. Enfin je percevais bien l'intention[1], merci.

Peut-être nous reverrons-nous, un jour, plus tard, lorsque tu seras adulte. Quand j'aurai moins honte, et que tu m'auras pardonné. Adieu.

C'est ça, adieu !

P.-S. J'ai laissé sur la table tout l'argent qui me restait. Voici la liste des personnes que tu dois informer de mon départ. Elles prendront soin de toi.

Suivait une liste de quatre noms que je ne connaissais pas.
Ma décision était prise. Il fallait faire semblant.
Il était hors de question que j'admette avoir été abandonné. Abandonné deux fois, une fois à la naissance par ma mère ; une autre fois à l'adolescence, par mon père. Si cela se savait, plus

1. L'idée.

BIEN LIRE

L. 545-549 : Comment Momo complète-t-il les mots qui manquent ? Quelle « intention » a-t-il perçue ?

personne ne me donnerait ma chance. Qu'avais-je de si terrible ? Mais qu'avais-je donc qui rendait l'amour impossible ? Ma décision fut irrévocable[1] : je simulerai[2] la présence de mon
565 père. Je ferai croire qu'il vit là, qu'il mange là, qu'il partage toujours avec moi ses longues soirées d'ennui.

D'ailleurs, j'attendis pas une seconde : je descendis à l'épicerie.

– Monsieur Ibrahim, mon père a du mal à digérer. Qu'est-ce
570 que je lui donne ?

– Du Fernet Branca[3], Momo. Tiens, j'en ai une mignonnette[4].

– Merci, je remonte tout de suite lui faire avaler.

Avec l'argent qu'il m'avait laissé, je pouvais tenir un mois. J'appris à imiter sa signature pour remplir les courriers néces-
575 saires, pour répondre au lycée. Je continuais à cuisiner pour deux, tous les soirs je mettais son couvert en face de moi ; simplement, à la fin du repas, je faisais passer sa part dans l'évier.

Quelques nuits par semaine, pour les voisins d'en face, je me mettais dans son fauteuil, avec son pull, ses chaussures, de la
580 farine dans les cheveux et je tentais de lire un beau Coran tout neuf que m'avait offert monsieur Ibrahim, parce que je l'en avais supplié.

---

1. Définitive.
2. Feindrai, ferai croire à.
3. « Potion » alcoolisée contre les maux de ventre.
4. Bouteille miniature.

BIEN LIRE

L. 562-563 : De quel ordre ces questions sont-elles ? Quelle interprétation donnent-elles du double abandon ?

L. 578-580 : En quoi ce comportement est-il inquiétant ?

Au lycée, je me dis que je n'avais pas une seconde à perdre : il fallait que je tombe amoureux. On n'avait pas vraiment le choix, vu que l'établissement n'était pas mixte ; on était tous amoureux de la fille du concierge, Myriam, qui, malgré ses treize ans, avait très vite compris qu'elle régnait sur trois cents pubères[1] assoiffés. Je me mis à lui faire la cour avec une ardeur de noyé.

Vlan : sourire !

Je devais me prouver qu'on pouvait m'aimer, je devais le faire savoir au monde entier avant qu'il ne découvre que même mes parents, les seules personnes obligées de me supporter, avaient préféré fuir.

Je racontais à monsieur Ibrahim ma conquête de Myriam. Il m'écoutait avec le petit sourire de celui qui sait la fin de l'histoire, mais je faisais semblant de ne pas le remarquer.

– Et comment va ton père ? Je ne le vois plus, le matin…

– Il a beaucoup de travail. Il est obligé de partir très tôt, avec son nouveau boulot…

– Ah bon ? Et il n'est pas furieux que tu lises le Coran ?

– Je me cache, de toute façon… et puis je n'y comprends pas grand-chose.

1. Adolescents.

BIEN LIRE

L. 584 : Pourquoi fallait-il qu'il tombe amoureux ? Quelle en est la nécessité ?

L. 588-589 « une ardeur de noyé » : Comment comprenez-vous cette image ?

L. 591 : Momo a-t-il conscience qu'il est aimé de monsieur Ibrahim ?

– Lorsqu'on veut apprendre quelque chose, on ne prend pas un livre. On parle avec quelqu'un. Je ne crois pas aux livres.

– Pourtant, monsieur Ibrahim, vous-même, vous me dites toujours que vous savez ce…

– Oui, que je sais ce qu'il y a dans mon Coran… Momo, j'ai envie de voir la mer. Si on allait en Normandie. Je t'emmène ?

– Oh, c'est vrai ?

– Si ton père est d'accord, naturellement.

– Il sera d'accord.

– Tu es sûr ?

– Je vous dis qu'il sera d'accord !

Lorsque nous sommes arrivés dans le hall du Grand Hôtel de Cabourg[1], ça a été plus fort que moi : je me suis mis à pleurer. J'ai pleuré pendant deux heures, trois heures, je n'arrivais pas à reprendre mon souffle.

Monsieur Ibrahim me regardait pleurer. Il attendait patiemment que je parle. Enfin, j'ai fini par articuler :

– C'est trop beau, ici, monsieur Ibrahim, c'est beaucoup trop beau. Ce n'est pas pour moi. Je ne mérite pas ça.

Monsieur Ibrahim a souri.

– La beauté, Momo, elle est partout. Où que tu tournes les yeux. Ça, c'est dans mon Coran.

---

1. Hôtel luxueux de cette ville de la côte normande dans lequel ont résidé des hommes célèbres, dont l'écrivain Marcel Proust.

BIEN LIRE

L. 624-628 : Quel usage monsieur Ibrahim fait-il de son Coran ? Quelle relation établit-il entre le livre et le monde ?

Après, nous avons marché le long de la mer.

– Tu sais, Momo, l'homme à qui Dieu n'a pas révélé la vie directement, ce n'est pas un livre qui la lui révélera.

Moi je lui parlais de Myriam, je lui en parlais d'autant plus que je voulais éviter de parler de mon père. Après m'avoir admis dans sa cour de prétendants[1], Myriam commençait à me rejeter comme un candidat non valable.

– Ça ne fait rien, disait monsieur Ibrahim. Ton amour pour elle, il est à toi. Il t'appartient. Même si elle le refuse, elle ne peut rien y changer. Elle n'en profite pas, c'est tout. Ce que tu donnes, Momo, c'est à toi pour toujours ; ce que tu gardes, c'est perdu à jamais !

– Mais vous, vous avez une femme ?

– Oui.

– Et pourquoi vous n'êtes pas avec elle, ici ?

Il a montré la mer du doigt.

– C'est vraiment une mer anglaise ici, vert et gris, c'est pas des couleurs normales pour de l'eau, à croire qu'elle a pris l'accent.

– Vous ne m'avez pas répondu, monsieur Ibrahim, pour votre femme ? Pour votre femme ?

– Momo, pas de réponse, c'est une réponse.

1. Ceux qui sont susceptibles de la conquérir.

BIEN LIRE

L. 647 : Expliquez le paradoxe « pas de réponse, c'est une réponse ».

Chaque matin, monsieur Ibrahim était le premier levé. Il s'approchait de la fenêtre, il reniflait la lumière et il faisait sa culture physique, lentement – tous les matins, toute sa vie, sa culture physique. Il était incroyablement souple et de mon oreiller, en entrouvrant les yeux, je voyais encore le jeune homme long et nonchalant[1] qu'il avait dû être, il y a très longtemps.

Ma grande surprise fut de découvrir, un jour, dans la salle de bains, que monsieur Ibrahim était circoncis[2].

– Vous aussi, monsieur Ibrahim ?

– Les musulmans comme les juifs, Momo. C'est le sacrifice d'Abraham[3] : il tend son enfant à Dieu en lui disant qu'il peut le prendre. Ce petit bout de peau qui nous manque, c'est la marque d'Abraham. Pour la circoncision, le père doit tenir son fils, le père offre sa propre douleur en souvenir du sacrifice d'Abraham.

Avec monsieur Ibrahim, je me rendais compte que les juifs, les musulmans et même les chrétiens, ils avaient eu plein de grands hommes en commun avant de se taper sur la gueule. Ça ne me regardait pas, mais ça me faisait du bien.

Après notre retour de Normandie, lorsque je suis rentré dans

1. Paresseux.
2. Personne à qui l'on a ôté le prépuce, de façon rituelle.
3. Patriarche hébreu, père d'Ismaïl et d'Isaac ; pour prouver son obéissance à Dieu, il propose de lui sacrifier Isaac. Figure fondatrice des religions juive et musulmane.

BIEN LIRE

L. 666 « avant de se taper sur la gueule » : À quels faits historiques Momo peut-il penser ?

l'appartement noir et vide, je ne me sentais pas différent, non, je trouvais que le monde pouvait être différent. Je me disais que je pourrais ouvrir les fenêtres, que les murs pouvaient être plus clairs, je me disais que je n'étais peut-être pas obligé de garder ces meubles qui sentaient le passé, pas le beau passé, non, le vieux passé, le rance[1], celui qui pue comme une vieille serpillière.

Je n'avais plus d'argent. J'ai commencé à vendre les livres, par lots, aux bouquinistes[2] des quais de Seine que monsieur Ibrahim m'avait fait découvrir lors de nos promenades. À chaque fois que je vendais un livre, je me sentais plus libre.

Cela faisait trois mois, maintenant, que mon père avait disparu. Je donnais toujours le change[3], je cuisinais pour deux, et, curieusement, monsieur Ibrahim me posait de moins en moins de questions sur lui. Mes relations avec Myriam capotaient[4] de plus en plus, mais elles me donnaient un très bon sujet de conversation, la nuit, avec monsieur Ibrahim.

Certains soirs, j'avais des pincements au cœur. C'était parce que je pensais à Popol. Maintenant que mon père n'était plus là, j'aurais bien aimé le connaître, Popol. Sûr que je le supporterais mieux puisqu'on ne me l'enverrait plus à la figure comme

1. Odeur forte et désagréable de « vieux » gras (par exemple, du beurre).
2. Vendeurs de livres d'occasion.
3. Je faisais bien semblant.
4. Battaient de l'aile.

BIEN LIRE

L. 678-679 « À chaque fois que je vendais un livre, je me sentais plus libre » : Rappelez la place qu'occupent les livres dans la relation entre Momo et son père.

l'antithèse[1] de ma nullité. Je me couchais souvent en pensant qu'il y avait, quelque part dans le monde, un frère beau et parfait, qui m'était inconnu et que, peut-être, un jour je le rencontrerais.

Un matin, la police frappa à la porte. Ils criaient comme dans les films :

– Ouvrez ! Police !

Je me suis dit : Ça y est, c'est fini, j'ai trop menti, ils vont m'arrêter.

J'ai mis une robe de chambre et j'ai déverrouillé tous les verrous. Ils avaient l'air beaucoup moins méchants que je l'imaginais, ils m'ont même demandé poliment s'ils pouvaient entrer. C'est vrai que moi je préférais aussi m'habiller avant de partir en prison.

Dans le salon, l'inspecteur m'a pris par la main et m'a dit gentiment :

– Mon garçon, nous avons une mauvaise nouvelle pour vous. Votre père est mort.

Je sais pas sur le coup ce qui m'a le plus surpris, la mort de mon père ou le vouvoiement du flic. En tout cas, j'en suis tombé assis dans le fauteuil.

– Il s'est jeté sous un train près de Marseille.

---

1. Le contraire, l'opposé.

BIEN LIRE

L. 697-707 : C'est la police qui annonce à Momo la mort de son père : qu'est-ce que cela laisse supposer de l'existence du père depuis son départ ?

Ça aussi, c'était curieux : aller faire ça à Marseille ! Des trains, il y en a partout. Il y en a autant, sinon plus, à Paris. Décidément, je ne comprendrais jamais mon père.

715 – Tout indique que votre père était désespéré et qu'il a mis fin volontairement à ses jours.

Un père qui se suicide, voilà qui n'allait pas m'aider à me sentir mieux. Finalement, je me demande si je ne préférais pas un père qui m'abandonne ; je pouvais au moins supposer qu'il était 720 rongé par le regret.

Les policiers semblaient comprendre mon silence. Ils regardaient la bibliothèque vide, l'appartement sinistre autour d'eux en se disant que, ouf, dans quelques minutes, ils l'auraient quitté.

725 – Qui faut-il prévenir, mon garçon ?

Là, j'ai eu enfin une réaction appropriée. Je me levai et allai chercher la liste de quatre noms qu'il m'avait laissée en partant. L'inspecteur l'a mise dans sa poche.

– Nous allons confier ces démarches à l'Assistance sociale.

730 Puis il s'est approché de moi, avec des yeux de chien battu, et là, j'ai senti qu'il allait me faire un truc tordu[1].

– Maintenant, j'ai quelque chose de délicat à vous demander : il faudrait que vous reconnaissiez le corps.

1. Pas clair.

BIEN LIRE

L. 718-720 : Éclaircissez le raisonnement de Momo. À quel « espoir » le suicide met-il un terme ?

L. 727 : Momo a-t-il pris connaissance de cette liste ?

Ça, ça a joué comme un signal d'alarme. Je me suis mis à hurler comme si on avait appuyé sur le bouton. Les policiers s'agitaient autour de moi, ils cherchaient l'interrupteur. Seulement, pas de chance, l'interrupteur c'était moi et je ne pouvais plus m'arrêter.

Monsieur Ibrahim a été parfait. Il est monté en entendant mes cris, il a tout de suite compris la situation, il a dit qu'il irait, lui, à Marseille, pour reconnaître le corps. Les policiers, au début, se méfiaient parce qu'il avait vraiment l'air d'un Arabe, mais je me suis remis à hurler et ils ont accepté ce que proposait monsieur Ibrahim.

Après l'enterrement, j'ai demandé à monsieur Ibrahim :

– Depuis combien de temps aviez-vous compris pour mon père, monsieur Ibrahim ?

– Depuis Cabourg. Mais tu sais, Momo, tu ne dois pas en vouloir à ton père.

– Ah oui ? Et comment ? Un père qui me pourrit la vie, qui m'abandonne et qui se suicide, c'est un sacré capital[1] de confiance pour la vie. Et, en plus, il ne faut pas que je lui en veuille ?

– Ton père, il n'avait pas d'exemple devant lui. Il a perdu ses

1. C'est une drôle de réserve.

BIEN LIRE

L. 745 « Après l'enterrement » : Que remarquez-vous dans le rythme, dans les choix de la narration ?

L. 751-752 « c'est un sacré capital de confiance pour la vie » : Sur quel ton est faite cette remarque ?

parents très jeune parce qu'ils avaient été ramassés par les nazis et qu'ils étaient morts dans les camps. Ton père ne se remettait pas d'avoir échappé à tout ça. Peut-être il se culpabilisait[1] d'être en vie. Ce n'est pas pour rien qu'il a fini sous un train.

– Ah bon, pourquoi ?

– Ses parents, ils avaient été emportés par un train pour aller mourir. Lui, il cherchait peut-être son train depuis toujours… S'il n'avait pas la force de vivre, ce n'était pas à cause de toi, Momo, mais à cause de tout ce qui a été ou n'a pas été avant toi.

Puis monsieur Ibrahim m'a fourré des billets dans la poche.

– Tiens, va rue de Paradis. Les filles, elles se demandent où en est ton livre sur elles…

J'ai commencé à tout changer dans l'appartement de la rue Bleue. Monsieur Ibrahim me donnait des pots de peinture, des pinceaux. Il me donnait aussi des conseils pour rendre folle l'assistante sociale et gagner du temps.

Une après-midi, alors que j'avais ouvert toutes les fenêtres pour faire partir les odeurs d'acrylique[2], une femme entra dans l'appartement. Je ne sais pas pourquoi, mais à sa gêne, à ses hésitations, à sa façon de pas oser passer entre les escabeaux et d'éviter les taches sur le sol, j'ai tout de suite compris qui c'était.

1. Il se sentait coupable.
2. Composé chimique de la peinture.

BIEN LIRE

L. 765-766 : Pourquoi monsieur Ibrahim envoie-t-il Momo chez les filles ?

L. 775 « j'ai tout de suite compris qui c'était » : Qui surgit ainsi dans la vie de Momo ?

J'ai fait celui qui était très absorbé par ses travaux.

Elle finit par se racler faiblement la gorge.

J'ai joué la surprise :

– Vous cherchez ?

– Je cherche Moïse, a dit ma mère.

C'était curieux comme elle avait du mal à prononcer ce nom, comme s'il ne passait pas dans sa gorge.

Je me paie le luxe de me foutre de sa gueule.

– Vous êtes qui ?

– Je suis sa mère.

La pauvre femme, j'ai de la peine pour elle. Elle est dans un état. Elle a dû sacrément se faire violence pour arriver jusqu'ici. Elle me regarde intensément[1], essayant de déchiffrer mes traits. Elle a peur, très peur.

– Et toi qui es-tu ?

– Moi ?

J'ai envie de me marrer. On n'a pas idée de se mettre dans des états pareils, surtout treize ans après.

– Moi, on m'appelle Momo.

Son visage, il se fissure.

J'ajoute en rigolant :

– C'est un diminutif pour Mohammed.

1. Avec profondeur, intensité.

BIEN LIRE

L. 780 : Le nom de la mère pouvait-il faire partie de la liste des quatre noms ?

L. 783, 792 et 796 : Que penser des « rires » de Momo ?

Elle devient plus pâle que ma peinture des plinthes[1].

– Ah bon ? Tu n'es pas Moïse ?

– Ah non, faut pas confondre, madame. Moi, c'est Mohammed.

Elle ravale sa salive. Au fond, elle n'est pas mécontente.

– Mais il n'y a pas un garçon, ici, qui s'appelle Moïse ?

J'ai envie de répondre : Je ne sais pas, c'est vous qui êtes sa mère, vous devriez savoir. Mais au dernier moment, je me retiens, parce que la pauvre femme n'a pas l'air de bien tenir sur ses jambes. À la place, je lui fais un joli petit mensonge plus confortable.

– Moïse, il est parti, madame. Il en avait marre d'être ici. Il n'a pas de bons souvenirs.

– Ah bon ?

Tiens, je me demande si elle me croit. Elle ne semble pas convaincue. Elle n'est peut-être pas si conne, finalement.

– Et quand reviendra-t-il ?

– Je ne sais pas. Lorsqu'il est parti, il a dit qu'il voulait retrouver son frère.

– Son frère ?

– Oui, il a un frère, Moïse.

– Ah bon ?

---

1. Lames de bois qui recouvrent la base d'un mur.

BIEN LIRE

L. 813 « Elle n'est peut-être pas si conne » : L'adjectif « conne » est-il adéquat ?
Qui est le maître de la situation dans cette scène ?

Elle a l'air complètement déconcertée.

– Oui, son frère Popol.

– Popol ?

– Oui, madame, Popol, son frère aîné !

Je me demande si elle n'est pas en train de me prendre pour un demeuré. Ou alors elle croit vraiment que je suis Mohammed ?

– Mais je n'ai jamais eu d'enfant avant Moïse. Je n'ai jamais eu de Popol, moi.

Là, c'est moi qui commence à me sentir mal.

Elle le remarque, elle vacille[1] tellement qu'elle va se mettre à l'abri sur un fauteuil et moi je fais pareil de mon côté.

Nous nous regardons en silence, le nez étouffé par l'odeur acide de l'acrylique. Elle m'étudie, il n'y a pas un battement de mes cils qui lui échappe.

– Dis-moi, Momo…

– Mohammed.

– Dis-moi, Mohammed, tu vas le revoir, Moïse ?

– Ça se peut.

J'ai dit ça sur un ton détaché[2], j'en reviens pas moi-même d'avoir un ton si détaché. Elle me scrute[3] le fond des yeux. Elle

1. Perd l'équilibre.
2. Indifférent, distant.
3. Regarde avec intensité, sonde.

BIEN LIRE

L. 827-828 : Au théâtre, comment appelle-t-on ce procédé dramatique ? Quel fantôme fait-il apparaître entre Momo et sa mère ?

peut m'éplucher tant qu'elle veut, elle ne m'arrachera rien, je suis sûr de moi.

– Si un jour tu revois Moïse, dis-lui que j'étais très jeune lorsque j'ai épousé son père, que je ne l'ai épousé que pour partir de chez moi. Je n'ai jamais aimé le père de Moïse. Mais j'étais prête à aimer Moïse. Seulement j'ai connu un autre homme. Ton père…

– Pardon ?

– Je veux dire son père, à Moïse, il m'a dit : Pars et laisse-moi Moïse, sinon… Je suis partie. J'ai préféré refaire ma vie, une vie où il y a du bonheur.

– C'est sûr que c'est mieux.

Elle baisse les yeux.

Elle s'approche de moi. Je sens qu'elle voudrait m'embrasser. Je fais celui qui ne comprend pas.

Elle me demande, d'une voix suppliante :

– Tu lui diras, à Moïse ?

– Ça se peut.

Le soir même, je suis allé retrouver monsieur Ibrahim et je lui ai dit en rigolant :

– Alors, c'est quand que vous m'adoptez, monsieur Ibrahim ?

Et il a répondu, aussi en rigolant :

BIEN LIRE

L. 845-850 : Quel éclairage ces révélations jettent-elles sur la figure du père ?

L. 861 : Pourquoi le temps de l'adoption est-il arrivé ?

– Mais dès demain si tu veux, mon petit Momo !

Il a fallu se battre. Le monde officiel, celui des tampons, des autorisations, des fonctionnaires agressifs lorsqu'on les réveille, personne ne voulait de nous. Mais rien ne décourageait monsieur Ibrahim.

– Le non, on l'a déjà dans notre poche, Momo. Le oui, il nous reste à l'obtenir.

Ma mère, avec l'aide de l'assistante sociale, avait fini par accepter la démarche de monsieur Ibrahim.

– Et votre femme à vous, monsieur Ibrahim, elle veut bien ?

– Ma femme, elle est retournée au pays il y a bien longtemps. Je fais ce que je veux. Mais si tu as envie, nous irons la voir, cet été.

Le jour où on l'a eu, le papier, le fameux papier qui déclarait que j'étais désormais le fils de celui que j'avais choisi, monsieur Ibrahim décida que nous devions acheter une voiture pour fêter ça.

– On fera des voyages, Momo. Et cet été, on ira ensemble dans le Croissant d'Or, je te montrerai la mer, la mer unique, la mer d'où je viens.

– On pourrait pas y aller en tapis volant, plutôt ?

BIEN LIRE

L. 876-877 : En quoi cette adoption est-elle hors du commun ?
L. 878 : A-t-on déjà rencontré l'utilisation du pronom « nous » ?
L. 883 : À quel aspect de l'identité de monsieur Ibrahim Momo est-il particulièrement sensible ? Dans quel type de récit rencontre-t-on des « tapis volants » ?

– Prends un catalogue et choisis une voiture.

885 – Bien, papa.

C'est dingue comme, avec les mêmes mots, on peut avoir des sentiments différents. Quand je disais « papa » à monsieur Ibrahim, j'avais le cœur qui riait, je me regonflais, l'avenir scintillait[1].

890 Nous sommes allés chez le garagiste.

– Je veux acheter ce modèle. C'est mon fils qui l'a choisi.

Quant à monsieur Ibrahim, il était pire que moi, question vocabulaire. Il mettait « mon fils » dans toutes les phrases, comme s'il venait d'inventer la paternité.

895 Le vendeur commença à nous vanter les caractéristiques de l'engin.

– Pas la peine de me faire l'article, je vous dis que je veux l'acheter.

– Avez-vous le permis, monsieur ?

900 – Bien sûr.

Et là monsieur Ibrahim sortit de son portefeuille en maroquin[2] un document qui devait dater, au minimum, de l'époque égyptienne. Le vendeur examina le papyrus[3] avec effroi, d'abord parce que la plupart des lettres étaient effacées, ensuite

905 parce qu'il était dans une langue qu'il ne connaissait pas.

1. Brillait.
2. Cuir travaillé à la façon marocaine.
3. Ici, document qui semble être très ancien.

BIEN LIRE

L. 902-903 : De quelle « époque égyptienne » s'agit-il ?

– C'est un permis de conduire, ça ?

– Ça se voit, non ?

– Bien. Alors nous vous proposons de payer en plusieurs mensualités[1]. Par exemple, sur une durée de trois ans, vous devriez…

– Quand je vous dis que je veux acheter une voiture, c'est que je peux. Je paie comptant[2].

Il était très vexé, monsieur Ibrahim. Décidément, ce vendeur commettait gaffe sur gaffe.

– Alors faites-nous un chèque de…

– Ah mais ça suffit ! Je vous dis que je paie comptant. Avec de l'argent. Du vrai argent.

Et il posa des liasses de billets sur la table, de belles liasses de vieux billets rangées dans des sacs plastique.

Le vendeur, il suffoquait.

– Mais… mais… personne ne paie en liquide… ce… ce n'est pas possible…

– Eh bien quoi, ce n'est pas de l'argent, ça ? Moi je les ai bien acceptés dans ma caisse, alors pourquoi pas vous ? Momo, est-ce que nous sommes entrés dans une maison sérieuse ?

– Bien. Faisons comme cela. Nous vous la mettrons à disposition dans quinze jours.

1. Remboursements mensuels.
2. Sans crédit.

L. 912 : Qu'est-ce qui vexe monsieur Ibrahim ? Quelle est la « valeur » de référence pour cet homme ?

– Quinze jours ? Mais ce n'est pas possible : je serai mort dans quinze jours !

Deux jours après, on nous livrait la voiture, devant l'épicerie… il était fort monsieur Ibrahim.

Lorsqu'il monta dedans, monsieur Ibrahim se mit à toucher délicatement toutes les commandes avec ses longs doigts fins ; puis il s'essuya le front, il était verdâtre.

– Je ne sais plus, Momo.

– Mais vous avez appris ?

– Oui, il y a longtemps, avec mon ami Abdullah. Mais…

– Mais ?

– Mais les voitures n'étaient pas comme ça.

Il avait vraiment du mal à trouver son air[1], monsieur Ibrahim.

– Dites, monsieur Ibrahim, les voitures dans lesquelles vous avez appris, elles étaient pas tirées par des chevaux ?

– Non, mon petit Momo, par des ânes. Des ânes.

– Et votre permis de conduire, l'autre jour, qu'est-ce que c'était ?

– Mm… une vieille lettre de mon ami Abdullah qui me racontait comment s'était passée la récolte.

– Ben, on n'est pas dans la merde !

– Tu l'as dit, Momo.

1. Il avait du mal à respirer.

BIEN LIRE

L. 935 : Momo vouvoie son nouveau « père » ; quel sentiment ce vouvoiement exprime-t-il ?

– Et y a pas un truc, dans votre Coran, comme d'habitude, pour nous donner une solution ?

– Penses-tu, Momo, le Coran, ce n'est pas un manuel de mécanique ! C'est utile pour les choses de l'esprit, pas pour la ferraille. Et puis dans le Coran, ils voyagent en chameau !

– Vous énervez pas, monsieur Ibrahim.

Finalement, monsieur Ibrahim décida que nous prendrions des leçons de conduite ensemble. Comme je n'avais pas l'âge, c'est lui, officiellement, qui apprenait, tandis que moi, je me tenais sur la banquette arrière sans perdre une miette des instructions du moniteur. Sitôt le cours fini, nous sortions notre voiture et je m'installais au volant. Nous roulions dans le Paris nocturne, pour éviter la circulation.

Je me débrouillais de mieux en mieux.

Enfin l'été est arrivé et nous avons pris la route.

Des milliers de kilomètres. Nous traversions toute l'Europe par le sud. Fenêtres ouvertes. Nous allions au Moyen-Orient[1]. C'était incroyable de découvrir comme l'univers devenait intéressant sitôt qu'on voyageait avec monsieur Ibrahim. Comme j'étais crispé[2] sur mon volant et que je me concentrais sur la route, il me décrivait les paysages, le ciel, les nuages, les villages, les habitants. Le babil[3] de monsieur Ibrahim, cette voix fragile

1. Région située à la charnière des continents africain et asiatique. Elle se caractérise notamment par la coexistence de populations islamiques et judaïques.
2. Contracté.
3. Doux bavardage.

BIEN LIRE

L. 956 : Quel âge Momo a-t-il atteint à ce moment du récit ? À partir de quel âge peut-on apprendre à conduire, aujourd'hui ?

comme du papier à cigarettes, ce piment d'accent, ces images, ces exclamations, ces étonnements auxquels succédaient les plus diaboliques roublardises[1], c'est cela, pour moi, le chemin qui mène de Paris à Istanbul. L'Europe, je ne l'ai pas vue, je l'ai entendue.

– Ouh, là, Momo, on est chez les riches : regarde, il y a des poubelles.

– Eh bien quoi, les poubelles ?

– Lorsque tu veux savoir si tu es dans un endroit riche ou pauvre, tu regardes les poubelles. Si tu vois ni ordures ni poubelles, c'est très riche. Si tu vois des poubelles et pas d'ordures, c'est riche. Si tu vois des ordures à côté des poubelles, c'est ni riche ni pauvre : c'est touristique. Si tu vois les ordures sans les poubelles, c'est pauvre. Et si les gens habitent dans les ordures, c'est très très pauvre. Ici c'est riche.

– Ben oui, c'est la Suisse !

– Ah non, pas l'autoroute, Momo, pas l'autoroute. Les autoroutes, ça dit : passez, y a rien à voir. C'est pour les imbéciles qui veulent aller le plus vite d'un point à un autre. Nous, on fait pas de la géométrie, on voyage. Trouve-moi de jolis petits chemins qui montrent bien tout ce qu'il y a à voir.

– On voit que c'est pas vous qui conduisez, m'sieur Ibrahim.

– Écoute, Momo, si tu ne veux rien voir, tu prends l'avion, comme tout le monde.

– C'est pauvre, ici, m'sieur Ibrahim ?

---

1. Ruses.

– Oui, c'est l'Albanie[1].

– Et là ?

– Arrête l'auto. Tu sens ? Ça sent le bonheur, c'est la Grèce. Les gens sont immobiles, ils prennent le temps de nous regarder passer, ils respirent. Tu vois, Momo, moi, toute ma vie, j'aurai beaucoup travaillé, mais j'aurai travaillé lentement, en prenant bien mon temps, je ne voulais pas faire du chiffre[2], ou voir défiler les clients, non. La lenteur, c'est ça, le secret du bonheur. Qu'est-ce que tu veux faire plus tard ?

– Je sais pas, monsieur Ibrahim. Si, je ferai de l'import-export[3].

– De l'import-export ?

Là, j'avais marqué un point, j'avais trouvé le mot magique. « Import export », monsieur Ibrahim en avait plein la bouche, c'était un mot sérieux et en même temps aventurier, un mot qui renvoyait aux voyages, aux bateaux, aux colis, à de gros chiffres d'affaires, un mot aussi lourd que les syllabes qu'il faisait rouler, « import-export » !

– Je vous présente mon fils, Momo, qui un jour fera de l'import-export.

Nous avions plein de jeux. Il me faisait entrer dans les monu-

1. Pays de la péninsule balkanique.
2. Je ne voulais pas songer qu'à l'argent.
3. Commerce avec l'étranger.

BIEN LIRE

L. 995-998 : La durée, le temps de ce voyage sont-ils précisés ? Comment les lieux sont-ils amenés dans la narration ?

L. 1009 : Comment comprenez-vous « Monsieur Ibrahim en avait plein la bouche » ?

ments religieux avec un bandeau sur les yeux pour que je devine la religion à l'odeur.

– Ici ça sent le cierge, c'est catholique.

1020 – Oui, c'est Saint-Antoine.

– Là, ça sent l'encens, c'est orthodoxe.

– C'est vrai, c'est Sainte-Sophie.

– Et là ça sent les pieds, c'est musulman. Non, vraiment là, ça pue trop fort...

1025 – Quoi ! Mais c'est la mosquée Bleue[1] ! Un endroit qui sent le corps ce n'est pas assez bien pour toi ? Parce que toi, tes pieds, ils ne sentent jamais ? Un lieu de prière qui sent l'homme, qui est fait pour les hommes, avec des hommes dedans, ça te dégoûte ? Tu as bien des idées de Paris, toi ! Moi, ce parfum de 1030 chaussettes, ça me rassure. Je me dis que je ne vaux pas mieux que mon voisin. Je me sens, je nous sens, donc je me sens déjà mieux !

À partir d'Istanbul, monsieur Ibrahim a moins parlé. Il était ému.

1035 – Bientôt, nous rejoindrons la mer d'où je viens.

---

1. Grande mosquée d'Istanbul.

BIEN LIRE

L. 1016-1018 : À quel jeu cette situation vous fait-elle penser ? Quelles religions monothéistes ne sont pas représentées ? Pourquoi ?

L. 1020 et 1022 « Saint-Antoine », « Sainte-Sophie » : Où les deux personnages sont-ils arrivés ?

L. 1035 : De quelle mer s'agit-il ? Notez bien qu'ils ont dépassé Istanbul. Revoyez votre géographie de la Turquie...

Chaque jour il voulait que nous roulions encore plus lentement. Il voulait savourer[1]. Il avait peur, aussi.

– Où elle est, cette mer dont vous venez, monsieur Ibrahim ? Montrez-moi sur la carte.

– Ah, ne m'embête pas avec tes cartes, Momo, on n'est pas au lycée, ici !

On s'est arrêtés dans un village de montagne.

– Je suis heureux, Momo. Tu es là et je sais ce qu'il y a dans mon Coran. Maintenant, je veux t'emmener danser.

– Danser, monsieur Ibrahim ?

– Il faut. Absolument. « Le cœur de l'homme est comme un oiseau enfermé dans la cage du corps. » Quand tu danses, le cœur, il chante comme un oiseau qui aspire à se fondre en Dieu. Viens, allons au tekké.

– Au quoi ?

– Drôle de dancing[2] ! j'ai dit en passant le seuil.

– Un tekké c'est pas un dancing, c'est un monastère. Momo, pose tes chaussures.

Et c'est là que, pour la première fois, j'ai vu des hommes tourner. Les derviches portaient de grandes robes pâles,

1. Déguster.
2. Boîte de nuit.

L. 1046-1047 : À qui monsieur Ibrahim peut-il emprunter cette citation ? Dans quel type de texte pourriez-vous la trouver ?
L. 1055 : Rappelez quelle est la branche de l'islam à laquelle se rattache monsieur Ibrahim.

lourdes, souples. Un tambour retentissait. Et les moines se transformaient alors en toupies.

– Tu vois, Momo ! Ils tournent sur eux-mêmes, ils tournent autour de leur cœur qui est le lieu de la présence de Dieu. C'est 1060 comme une prière.

– Vous appelez ça une prière, vous ?

– Mais oui, Momo. Ils perdent tous les repères terrestres, cette pesanteur qu'on appelle l'équilibre, ils deviennent des torches qui se consument[1] dans un grand feu. Essaie, Momo, 1065 essaie. Suis-moi.

Et monsieur Ibrahim et moi, on s'est mis à tourner.

Pendant les premiers tours, je me disais : *Je suis heureux avec monsieur Ibrahim.* Ensuite, je me disais : *Je n'en veux plus à mon père d'être parti.* À la fin, je pensais même : *Après tout, ma mère 1070 n'avait pas vraiment le choix lorsqu'elle…*

– Alors, Momo, tu as senti de belles choses ?

– Ouais, c'était incroyable. J'avais la haine qui se vidangeait[2]. Si les tambours ne s'étaient pas arrêtés, j'aurais peut-être traité le cas de ma mère. C'était vachement agréable de prier, m'sieur 1075 Ibrahim, même si j'aurais préféré prier en gardant mes baskets. Plus le corps devient lourd, plus l'esprit devient léger.

À partir de ce jour-là on s'arrêtait souvent pour danser dans

1. Brûlent.
2. Vidait.

BIEN LIRE

L. 1067-1070 : Quel est l'effet « crescendo » de la danse sur l'esprit de Momo ?

L. 1074-1075 : Comment le musulman « légaliste » prie-t-il ?

des tekkés que connaissait monsieur Ibrahim. Lui parfois il ne tournait pas, il se contentait de prendre un thé en plissant les
1080 yeux mais, moi, je tournais comme un enragé. Non, en fait, je tournais pour devenir un peu moins enragé.

Le soir, sur les places des villages, j'essayais de parler un peu avec les filles. Je faisais un maximum d'efforts mais ça ne marchait pas très fort, alors que monsieur Ibrahim, lui qui ne fai-
1085 sait rien d'autre que boire sa Suze anis en souriant, avec son air doux et calme, eh bien, au bout d'une heure, il avait toujours plein de monde autour de lui.

– Tu bouges trop, Momo. Si tu veux avoir des amis, faut pas bouger.

1090 – Monsieur Ibrahim, est-ce que vous trouvez que je suis beau ?

– Tu es très beau, Momo.

– Non, c'est pas ce que je veux dire. Est-cc que vous croyez que je serai assez beau pour plaire aux filles… sans payer ?

1095 – Dans quelques années, ce seront elles qui paieront pour toi !

– Pourtant… pour le moment… le marché est calme…

– Évidemment, Momo, tu as vu comme tu t'y prends ? Tu les fixes en ayant l'air de dire : « Vous avez vu comme je suis

BIEN LIRE

L. 1080-1081 : Expliquez le jeu sur le mot « enragé ».
L. 1099-1100 « Vous avez vu comme je suis beau » : De quel épisode rapprocheriez-vous celui-ci ?

1100 beau. » Alors, forcément, elles rigolent. Il faut que tu les regardes en ayant l'air de dire : « Je n'ai jamais vu plus belle que vous. » Pour un homme normal, je veux dire un homme comme toi et moi – pas Alain Delon ou Marlon Brando[1], non –, ta beauté, c'est celle que tu trouves à la femme.

1105 Nous regardions le soleil se faufiler entre les montagnes et le ciel qui devenait violet. Papa fixait l'étoile du soir.

– Une échelle a été mise devant nous pour nous évader, Momo. L'homme a d'abord été minéral, puis végétal, puis animal – ça, animal, il ne peut pas l'oublier, il a souvent tendance 1110 à le redevenir –, puis il est devenu homme doué de connaissance, de raison, de foi. Tu imagines le chemin que tu as parcouru de la poussière jusqu'à aujourd'hui ? Et plus tard, lorsque tu auras dépassé ta condition d'homme, tu deviendras un ange. Tu en auras fini avec la terre. Quand tu danses, tu en as le pressentiment[2]. 1115

– Mouais. Moi, en tout cas, je ne me souviens de rien. Vous vous rappelez, vous, monsieur Ibrahim, avoir été une plante ?

– Tiens, qu'est-ce que tu crois que je fais lorsque je reste des heures sans bouger sur mon tabouret, dans l'épicerie ?

1120 Puis arriva le fameux jour où monsieur Ibrahim m'a annoncé

1. Acteur américain, célèbre dans les années 60-70 pour sa beauté.
2. Intuition.

L. 1107-1113 : À quelle discipline attribueriez-vous ce type de discours ? Comment comprenez-vous cette périphrase : « Quand tu auras dépassé ta condition d'homme... » ?
L. 1120 : Quel sens donneriez-vous à l'adjectif « fameux » ?

qu'on allait arriver à sa mer de naissance et rencontrer son ami Abdullah. Il était tout bouleversé, comme un jeune homme, il voulait d'abord y aller seul, en repérage, il me demanda de l'attendre sous un olivier.

125 C'était l'heure de la sieste. Je me suis endormi contre l'arbre.

Lorsque je me suis réveillé, le jour s'était déjà enfui. J'ai attendu monsieur Ibrahim jusqu'à minuit.

J'ai marché jusqu'au village suivant. Quand je suis arrivé sur la place, les gens se sont précipités sur moi. Je ne comprenais 130 pas leur langue, mais eux me parlaient avec animation, et ils semblaient très bien me connaître. Ils m'emmenèrent dans une grande maison. J'ai d'abord traversé une longue salle où plusieurs femmes, accroupies, gémissaient. Puis on m'amena devant monsieur Ibrahim.

135 Il était étendu, couvert de plaies, de bleus, de sang. La voiture s'était plantée contre un mur.

Il avait l'air tout faible.

Je me suis jeté sur lui. Il a rouvert les yeux et souri.

– Momo, le voyage s'arrête là.

140 – Mais non, on n'y est pas arrivés, à votre mer de naissance.

– Si, moi j'y arrive. Toutes les branches du fleuve se jettent dans la même mer. La mer unique.

BIEN LIRE

L. 1139-1147 : Quel mot les personnages ne prononcent-ils pas ? En quoi le mot « voyage » est-il un euphémisme ?

Là, ça s'est fait malgré moi, je me suis mis à pleurer.

– Momo, je ne suis pas content.

1145 – J'ai peur pour vous, monsieur Ibrahim.

– Moi, je n'ai pas peur, Momo. Je sais ce qu'il y a dans mon Coran.

Ça, c'est une phrase qu'il aurait pas dû dire, ça m'a rappelé trop de bons souvenirs, et je me suis mis à sangloter encore plus.

1150 – Momo, tu pleures sur toi-même, pas sur moi. Moi, j'ai bien vécu. J'ai vécu vieux. J'ai eu une femme, qui est morte il y a bien longtemps, mais que j'aime toujours autant. J'ai eu mon ami Abdullah, que tu salueras pour moi. Ma petite épicerie marchait bien. La rue Bleue, c'est une jolie rue, même si elle 1155 n'est pas bleue. Et puis il y a eu toi.

Pour lui faire plaisir, j'ai avalé toutes mes larmes, j'ai fait un effort et vlan : sourire !

Il était content. C'est comme s'il avait eu moins mal.

Vlan : sourire !

1160 Il ferma doucement les yeux.

– Monsieur Ibrahim !

– Chut… ne t'inquiète pas. Je ne meurs pas, Momo, je vais rejoindre l'immense.

Voilà.

BIEN LIRE

L. 1155 « Et puis il y a eu toi » : Commentez cette « chute ».

165 Je suis resté un peu. Avec son ami Abdullah, on a beaucoup parlé de papa. On a beaucoup tourné aussi.

Monsieur Abdullah, c'était comme un monsieur Ibrahim, mais un monsieur Ibrahim parcheminé[1], plein de mots rares, de poèmes sus par cœur, un monsieur Ibrahim qui aurait passé 170 plus de temps à lire qu'à faire sonner sa caisse. Les heures où nous tournions au tekké, il appelait ça la danse de l'alchimie[2], la danse qui transforme le cuivre en or. Il citait souvent Rumi[3].

Il disait :

L'or n'a pas besoin de pierre philosophale[4], mais le cuivre oui.
175 *Améliore-toi.*
Ce qui est vivant, fais-le mourir : c'est ton corps.
Ce qui est mort, vivifie-le : c'est ton cœur.
Ce qui est présent, cache-le : c'est le monde d'ici-bas.
Ce qui est absent, fais-le venir : c'est le monde de la vie future.
180 *Ce qui existe, anéantis-le : c'est la passion.*
Ce qui n'existe pas, produis-le : c'est l'intention[5].

Alors, aujourd'hui encore, quand ça ne va pas : je tourne.

1. Fripé, ridé comme un vieux parchemin.
2. Science mystique, occulte.
3. Poète persan dont les textes exposent la doctrine du soufisme.
4. Substance recherchée par les adeptes de l'alchimie, qui devait avoir le pouvoir de transformer les métaux en or.
5. Désir.

BIEN LIRE

L. 1165-1166 : Pourquoi Momo reste-t-il un peu ? Quelle est la fonction du personnage de monsieur Abdullah ?

L. 1182 : Peut-on parler de « conversion » ? Quel usage Momo fait-il de l'enseignement transmis ?

Je tourne une main vers le ciel, et je tourne. Je tourne une main vers le sol, et je tourne. Le ciel tourne au-dessus de moi. La terre tourne au-dessous de moi. Je ne suis plus moi mais un de ces atomes qui tournent autour du vide qui est tout.

Comme disait monsieur Ibrahim :

– Ton intelligence est dans ta cheville et ta cheville a une façon de penser très profonde.

Je suis revenu en stop. Je m'en suis « remis à Dieu », comme disait monsieur Ibrahim lorsqu'il parlait des clochards : j'ai mendié et j'ai couché dehors et ça aussi c'était un beau cadeau. Je ne voulais pas dépenser les billets que m'avait glissés monsieur Abdullah dans ma poche, en m'embrassant, juste avant que je le quitte.

Rentré à Paris, j'ai découvert que monsieur Ibrahim avait tout prévu. Il m'avait émancipé[1] : j'étais donc libre. Et j'héritais de son argent, de son épicerie, et de son Coran.

Le notaire m'a tendu l'enveloppe grise et j'ai sorti délicatement le vieux livre. J'allais enfin savoir ce qu'il y avait dans son Coran.

Dans son Coran, il y avait deux fleurs séchées et une lettre de son ami Abdullah.

1. Libéré, affranchi.

BIEN LIRE

L. 1192 : En quoi la mendicité a-t-elle été « un beau cadeau » ?

L. 1202-1203 : À quoi cette phrase fait-elle écho ?

Maintenant, je suis Momo, tout le monde me connaît dans
205 la rue. Finalement, je n'ai pas fait l'import-export, j'avais juste dit ça à monsieur Ibrahim pour l'impressionner un peu.

Ma mère, de temps en temps, elle vient me voir. Elle m'appelle Mohammed, pour pas que je me fâche, et elle me demande des nouvelles de Moïse. Je lui en donne.

210 Dernièrement, je lui ai annoncé que Moïse avait retrouvé son frère Popol, et qu'ils étaient partis en voyage tous les deux, et que, à mon avis, on les reverrait pas de sitôt. Peut-être c'était même plus la peine d'en parler. Elle a bien réfléchi – elle est toujours sur ses gardes avec moi – puis elle a murmuré gentiment :

215 – Après tout, ce n'est peut-être pas plus mal. Il y a des enfances qu'il faut quitter, des enfances dont il faut guérir.

Je lui ai dit que la psychologie[1], ce n'était pas mon rayon : moi, c'était l'épicerie.

– J'aimerais bien t'inviter un soir à dîner, Mohammed. Mon
220 mari aussi aimerait te connaître.

– Qu'est-ce qu'il fait ?

– Professeur d'anglais.

– Et vous ?

– Professeur d'espagnol.

---

1. Science qui a pour objet l'esprit et ses états.

BIEN LIRE

L. 1210-1213 : Sur quel mode Momo communique-t-il avec sa mère ? Qu'y a-t-il de troublant dans l'identité que Momo s'est fabriquée ?

L. 1218 : Quel équilibre le récit trouve-t-il ? Comparez la situation initiale et la situation finale.

– Et on parlera quelle langue pendant le repas ? Non, je plaisantais, je suis d'accord.

Elle était toute rose de contentement que j'accepte, non, c'est vrai, ça faisait plaisir à voir : on aurait dit que je venais de lui installer l'eau courante.

– Alors, c'est vrai ? Tu viendras ?

– Ouais, ouais.

C'est sûr que ça fait un peu bizarre de voir deux professeurs de l'Éducation nationale recevoir Mohammed l'épicier, mais enfin, pourquoi pas ? Je suis pas raciste.

Voilà, maintenant… le pli est pris. Tous les lundis, je vais chez eux, avec ma femme et mes enfants. Comme ils sont affectueux, mes gamins, ils l'appellent grand-maman, la prof d'espagnol, ça la fait bicher, faut voir ça ! Parfois, elle est tellement contente qu'elle me demande discrètement si ça ne me gêne pas. Je lui réponds que non, que j'ai le sens de l'humour.

Voilà, maintenant je suis Momo, celui qui tient l'épicerie de la rue Bleue, la rue Bleue qui n'est pas bleue.

Pour tout le monde, je suis l'Arabe du coin.

Arabe, ça veut dire ouvert la nuit et le dimanche, dans l'épicerie.

L. 1235-1236 : Commentez le passage au présent.
L. 1240 : Comment comprenez-vous « j'ai le sens de l'humour » ?
L. 1241 : À quoi sert ce « Voilà », déjà utilisé à la ligne 1235 ?

Après-texte

POUR COMPRENDRE

Étape 1	Le récit rétrospectif d'une adolescence	68
Étape 2	Une rencontre	70
Étape 3	À la recherche d'une identité	72
Étape 4	Un récit d'apprentissage par la conversation	74
Étape 5	En quête de spiritualité	76
Étape 6	Un réalisme poétique	78
Étape 7	Un conte	80
Étape 8	Du récit au film	82

GROUPEMENTS DE TEXTES

I) Contes soufis ... 85

II) Rencontres décisives ... 92

INTERVIEW EXCLUSIVE

Éric-Emmanuel Schmitt répond aux questions de Josiane Grinfas-Bouchibti ... 101

INFORMATION/DOCUMENTATION

Bibliographie, filmographie, sites Internet, visite ... 109

Lire

1 À quelle personne ce récit est-il écrit ? Pourquoi peut-on parler de « personnage-narrateur » ? Quels sont les différents prénoms du héros ? Que remarquez-vous à propos de leurs initiales ? Le lecteur connaît-il le patronyme du personnage ?

2 Quel est l'âge du personnage au début du récit ? Quel âge a-t-il au moment où il décide de tomber amoureux ? et à la fin du récit ? Montrez que la progression choisie par l'auteur est chronologique. Relevez des éléments qui renvoient aux « années lycée ».

3 À quels temps ce récit est-il écrit ? Pourquoi peut-on parler de récit rétrospectif ?

4 Le lecteur en sait-il plus que le narrateur ou découvre-t-il les événements en même temps que lui ? Comment appelle-t-on ce point de vue ?

5 Montrez que le point de vue choisi donne une représentation partielle, limitée, du monde dans lequel évolue le personnage et de la relation qu'il a avec lui. Comment crée-t-il une intimité entre le héros et le lecteur ?

6 Montrez que ce récit repose sur le point de vue d'un personnage qui est en rupture avec l'enfance et entre dans l'adolescence : quelles personnes composent son univers ? Quel regard porte-t-il sur elles ? Quels sont ses centres d'intérêt ? Quel vocabulaire, quel registre de langue utilise-t-il ?

7 L'auteur a choisi de mêler la voix de l'enfant et celle du narrateur adulte : à quel moment du récit le narrateur adulte intervient-il explicitement ? Par quel adverbe de temps (page 65) ce moment est-il signalé ? Il laisse aussi entendre sa voix auparavant et implicitement : relevez des passages où il y a dédoublement narratif (où, par exemple, c'est Momo adulte qui regarde l'adolescent qu'il était et où le ton est amusé, voire ironique). Sur quels autres tons cette histoire est-elle racontée ?

8 De quelle forme du biographique pouvez-vous rapprocher ce récit ? Justifiez votre réponse.

Écrire

9 Il n'y a pas de description physique du narrateur par lui-même ; il dit seulement, être « gros comme un sac de sucreries » (page 10). Imaginez un portrait physique de Momo, en ne perdant pas de vue que c'est un petit Parisien des années 60 : attention aux anachronismes !

10 À quel moment et à quels signes avez-vous senti que vous quittiez l'enfance ? Y a-t-il eu pour vous, comme pour Momo, un événement qui a marqué cette rupture ? Si oui, faites-en le récit et expliquez quels furent alors vos sensations et vos sentiments.

11 Quelles personnes composent votre univers d'adolescent ? Quelles sont celles qui vous semblent romanesques ?

12 L'utilisation du registre familier dans un roman, même si elle est justifiée par le fait que le narrateur soit jeune, vous gêne-t-elle ?

Chercher

13 Qui étaient Moïse et Mohammed (« Muhammad » dans le Coran) ?

14 Quand la distinction entre collège et lycée s'est-elle établie ? À quelle époque la mixité devient-elle la norme dans l'école publique, à Paris notamment ? Quel indice du texte montre que Momo n'est pas dans un lycée mixte ?

15 Quel est le roman autobiographique de Jules Vallès (1832-1885) dans lequel il évoque ses souvenirs d'enfance ?

16 Quel est l'auteur du XXe siècle qui a écrit un récit intitulé *Enfance* ?

17 Pouvez-vous citer les livres que vous avez lus, les films ou les pièces de théâtre que vous avez vus, dont le ou les héros sont des enfants, des adolescents ?

À SAVOIR

NARRATEUR ET POINT DE VUE

***Monsieur Ibrahim et les Fleurs du Coran* est un récit écrit à la première personne. Le narrateur est en même temps le personnage principal.**

Ce choix narratif donne forme à la réalité des faits, des sentiments, des impressions vécus par le personnage-narrateur : celle-ci est limitée, forcément subjective ; le narrateur ne connaît des faits que ce qu'il a vu, compris ou entendu dire. Ainsi, la figure du père n'apparaît qu'à travers le regard de Momo ; elle est à peine infléchie par le point de vue de la mère, à la fin du récit. Ce point de vue qu'on dit « interne » installe le lecteur à l'intérieur de la conscience du personnage et, sans aller jusqu'à l'identification, crée entre lui et ce personnage une proximité, une empathie. Le lecteur s'admet comme destinataire du récit.

Il y a deux autres sortes de point de vue : le point de vue omniscient (étymologiquement, « qui sait tout »), qui implique un récit écrit à la troisième personne, dans lequel le narrateur sait tout des personnages et de leur histoire ; enfin, le point de vue externe, qui décrit les personnages de l'extérieur, comme le ferait un témoin anonyme, sans communiquer ni leur identité, ni leurs pensées.

Lire

1 À partir des éléments disséminés dans le récit, reconstituez la « carte d'identité » des deux personnages principaux (lieu de naissance, état civil, adresse, situation sociale, etc.). Quel est le ton de la définition de la page 14 : « Arabe, Momo, ça veut dire "ouvert de huit heures du matin jusqu'à minuit et même le dimanche", dans l'épicerie » ?

2 Quelles circonstances rendent possible la rencontre entre Moïse et monsieur Ibrahim ? Quelles « proximités » psychologiques et affectives jouent également un rôle important ? Réfléchissez, par exemple, à l'état de solitude des deux personnages en analysant les causes et la nature de cette solitude.

3 Comme dans le schéma actantiel, identifiez l'événement qui modifie la relation des deux personnages. De quoi est-il le déclencheur ? Sur quels sentiments fonde-t-il leur amitié ?

4 Rappelez les étapes du développement de cette relation en observant les différents statuts que chaque personnage donne à l'autre. Analysez, notamment, la succession des noms par lesquels Momo et monsieur Ibrahim se désignent réciproquement.

5 Quelle est l'importance du regard dans cette rencontre ? (Rappelez-vous que Momo dit à propos de son père : « Il ne faisait pas plus attention à moi qu'à un chien », page 19.) Quel regard monsieur Ibrahim pose-t-il sur Momo ? En quoi ce regard aide-t-il celui-ci à se construire ?

6 Quels échanges – surtout symboliques – cette rencontre provoque-t-elle ? Comment transforme-t-elle la vie de l'un et de l'autre personnage ? De quels bienfaits est-elle porteuse, en particulier pour Momo ?

7 Montrez qu'en rencontrant monsieur Ibrahim Momo se trouve un père de remplacement. Comment comprenez-vous cette phrase de Momo : « j'étais désormais le fils de celui que j'avais choisi » (page 49, ligne 877) ?

8 Quelles sont les autres rencontres importantes du récit ? Quelle est celle qui ne se fera jamais ? Quelle est celle qui reste marquée par l'étrangeté ?

Écrire

9 Vous avez sans doute déjà vécu l'expérience de la rencontre décisive – telle qu'elle oriente une existence – avec quelqu'un de votre âge ou avec un adulte. Dans quelles circonstances cette rencontre s'est-elle faite ? En quoi a-t-elle modifié votre vie ? Croyez-vous au hasard ou au destin ?

10 Imaginez ce qu'aurait pu être le futur de Momo sans sa rencontre avec monsieur Ibrahim. Le voyez-vous plutôt heureux ou tragique ? Tenez compte des éléments qu'Éric-Emmanuel Schmitt a choisis pour constituer son personnage.

11 Pour vous, qu'est-ce qui représenterait la rencontre avec « l'Autre » ? Avez-vous déjà eu l'occasion de vous frotter à d'autres cultures, à d'autres façons de penser, à d'autres identités ?

Chercher

12 Avez-vous lu d'autres récits construits autour de l'amitié entre une vieille personne et un enfant ou un adolescent ?
Connaissez-vous des films qui parlent de ce thème ?

13 Quels sont les deux romans de Michel Tournier – dont l'un écrit pour la jeunesse – qui évoquent une rencontre entre deux êtres radicalement différents ?

14 Peut-on dire de Momo qu'il est cleptomane ?
Donnez d'abord l'étymologie de ce terme.

À SAVOIR

LE TRAITEMENT DU TEMPS DANS LE RÉCIT

Le récit linéaire respecte l'ordre dans lequel se sont déroulés les événements. C'est la catégorie à laquelle appartient ce roman : le lecteur suit l'évolution de Momo, sans qu'il y ait ni anticipation ni retour en arrière.

Cette linéarité peut adopter des rythmes différents. On évalue le rythme d'une narration en analysant le rapport entre la durée des événements racontés (années, mois, jours, heures, etc.) et le nombre de pages, de lignes ou de mots utilisés pour les raconter. Selon l'importance que le narrateur accorde aux événements, il peut mettre en valeur certains d'entre eux et développer une « scène » ; ainsi, *Monsieur Ibrahim et les Fleurs du Coran* s'ouvre sur la scène initiatique avec la prostituée, voit son cours modifié par la scène avec Brigitte Bardot, et le suspend dans la scène la plus longue du récit, celle où Momo rencontre sa mère.

Il peut aussi choisir de condenser des moments en peu de texte et écrire un sommaire, comme pour la période de quatre mois qui s'étend entre le départ du père et l'annonce du suicide paternel (de la page 34 à la page 41). Enfin, il peut ne pas raconter un événement – comme le suicide ou l'enterrement auxquels Momo n'a pas assisté. Il choisit alors l'ellipse.

Le point de vue interne nous emmène dans le temps intérieur de Momo – la « durée » – qui évoque très peu ou pas du tout les moments passés avec le père et qui, dans le voyage avec monsieur Ibrahim, s'étire, se dilate comme pour toucher l'infini.

Lire

1 Quelle est l'idée, traduite en actes, de l'accroche du récit ? Que représente le cochon ?

2 Quel est ce cadre familial avec lequel Moïse est en rupture ? Pourquoi la famille est-elle monoparentale ? Faites le portrait du père, en insistant sur son comportement à l'égard de Momo. Que se passe-t-il quand Momo met son père à l'épreuve du sourire (page 25) ? Quel espoir abandonne-t-il définitivement ?

3 Montrez que, pour Momo, l'« âge d'homme », c'est d'abord l'affirmation d'une identité sexuelle. Appréciez cette exclamation de Momo : « Une femme me parle, à moi. Une femme » (page 24). Qu'est-ce que cette identité « d'homme » modifie dans la relation symbolique au père ?

4 Comment la figure de Popol empêche-t-elle Momo de trouver sa place ? Momo dit, page 41, que ce frère est l'« antithèse » de sa « nullité » : que comprenez-vous ? Quant à l'existence de Popol, elle est au cœur d'un « coup de théâtre » : lequel ?

5 Montrez la capacité de Momo à « rebondir » suite aux épreuves qu'il subit. Comment monsieur Ibrahim l'aide-t-il ? À travers quels actes peut-on le définir comme un père de substitution ?

6 Qu'est-ce qu'être juif, pour Momo ? Retrouvez la définition qu'il donne de sa judéité. Que remarquez-vous à propos de la forme ? Le père a-t-il transmis quoi que ce soit à Momo ?

7 Montrez que l'identité de monsieur Ibrahim séduit et interroge Momo : à quelles figures l'associe-t-il ?

8 Quel héritage Momo reçoit-il, concrètement et symboliquement, à la fin du récit ? Dans le Coran, il trouve deux fleurs séchées et une lettre de monsieur Abdullah ; rétrospectivement, comment interpréteriez-vous l'aphorisme de monsieur Ibrahim : « Je sais ce qu'il y a dans mon Coran » ?

9 Quelle est l'identité de Momo à la fin du récit ? Comparez-la à l'identité de la situation initiale. Que signifie désormais « être soi-même », pour Momo ? Quelle est sa place par rapport à monsieur Ibrahim ? Que pensez-vous de la présentation des dernières lignes et de la chute du récit ? Momo est-il parvenu à être « autre chose » (page 33) ? Pourquoi garde-t-il le nom de Momo ?

Écrire

10 Dans un des passages d'introspection, Momo dit : « Grâce à l'intervention de monsieur Ibrahim, le monde des adultes s'était fissuré » (page 17). Avez-vous de ce monde la même image que Momo ? Y a-t-il, dans votre entourage, un adulte référent, quelqu'un qui vous aide à vous construire ?

11 Comment définiriez-vous votre identité ? Quelle autre identité vous séduirait ? Justifiez votre réponse.

12 La mère de Momo vient de quitter l'appartement où elle a reconnu son fils ; sur le chemin, elle monologue et s'interroge sur ces retrouvailles troublantes. Imaginez ce monologue et traduisez les émotions, les sentiments qui agitent la mère.

13 Quelle est votre opinion au sujet du comportement du père de Momo ? Quel jugement porteriez-vous ? Le condamneriez-vous ? Comment auriez-vous réagi à la place de Momo ?

Chercher

14 Connaissez-vous la Déclaration des droits de l'enfant ? Essayez d'en retrouver le texte.

15 Retrouvez dans la Bible et dans le Coran l'épisode du sacrifice d'Abraham ; comparez les deux textes. Que symbolise la circoncision chez les juifs et chez les musulmans ?

16 Quels sont les quartiers de Paris où les communautés juive et arabe cohabitent ?

À SAVOIR

LE DISCOURS THÉÂTRAL

À l'origine, *Monsieur Ibrahim et les Fleurs du Coran* est une pièce de théâtre qu'Éric-Emmanuel Schmitt a narrativisée. Nous pouvons retrouver dans le récit certaines caractéristiques du discours théâtral :

– la scène, déterminée par l'entrée ou la sortie d'un personnage. Il y a, par exemple, la scène avec Brigitte Bardot (pages 14 à 16) ou celle avec la mère (pages 45 à 49). Cette dernière est un coup de théâtre ;

– les dialogues, constitués des répliques que prononcent les personnages. Certains sont faits d'échanges très rapides, très courts (stichomythies) ;

– les différentes formes de comique : comique de répétition dans la scène du « sourire » ; comique de mots (jeux de mots, utilisation du registre familier, changements de ton, etc.) dans les échanges entre monsieur Ibrahim et Momo ;

– le quiproquo qui s'installe quand le locuteur prend un personnage pour un autre : dans la scène avec la mère, Momo crée un quiproquo ;

– le monologue : discours que Momo adresse à lui-même quand il est seul.

PAR LA CONVERSATION

Lire

1 Faites le portrait du « maître » Ibrahim : rassemblez d'abord les éléments du portrait physique, puis ceux qui le peignent comme un « sage ». Quelle définition de cette figure Momo donne-t-il aux pages 11 et 12 ?

2 Montrez que pour l'« élève » Momo, découvrir monsieur Ibrahim c'est lever progressivement les voiles d'un profond mystère. Quelles questions les mots « arabe », « musulman » et « soufi » soulèvent-ils ? Quel pouvoir Momo prête-t-il à monsieur Ibrahim, au début de leur rencontre (page 13) ?

3 Comment monsieur Ibrahim parvient-il à « séduire » Momo, à l'ouvrir à sa façon de penser ? Montrez les qualités de ce maître, en particulier son anticonformisme.

4 Comment monsieur Ibrahim accompagne-t-il Momo dans son cheminement vers l'« âge d'homme » ? Quelle interprétation donneriez-vous de cette phrase : « Je m'étais mis à faire un truc épouvantable et vertigineux : des comparaisons » (page 19). Quelle évidence ressort de la comparaison entre monsieur Ibrahim et le père de Momo ? Qu'est-ce que monsieur Ibrahim transmet que le père n'a jamais pu transmettre ? Quelle analyse monsieur Ibrahim fait-il de cette incapacité (pages 44 et 45) ?

5 Les dialogues occupent une large place dans ce récit. Quels sont ceux qui font progresser la narration, c'est-à-dire qui modifient la situation ? Quels sont ceux qui renseignent le lecteur sur la situation de communication ?

6 Montrez que les répliques s'enchaînent souvent sur le modèle question-réponse. L'apprentissage n'est-il pas réciproque ?

7 Trouvez des dialogues qui ont clairement pour fonction d'initier, d'éduquer Momo à la vie. Trouvez-en d'autres par lesquels monsieur Ibrahim cherche à le convaincre, à remplacer sa colère par l'analyse.

8 Quels registres de langue y sont utilisés ? Relevez des caractéristiques de la langue orale (phrases courtes, segmentées, mots de « contact », phrases inachevées, etc.).

9 En quoi le voyage est-il « initiatique » ?

10 Quelle est la fonction particulière de la danse dans ce récit d' apprentissage ?

11 Comment Momo réagit-il à la mort de monsieur Ibrahim ? Montrez que celui-ci meurt en « sage », c'est-à-dire en poursuivant son enseignement jusqu'au dernier souffle.

12 Le Momo de la fin du récit a-t-il atteint l'âge d'homme ?

Écrire

13 Dans un paragraphe explicatif, dites ce qui, selon vous, serait le prix de l'« âge d'homme ». Autrement dit, que devrez-vous abandonner pour passer de l'adolescence à l'âge adulte ?

14 Quel rôle jouent les livres dans votre formation personnelle ? Que pensez-vous de cet enseignement de monsieur Ibrahim : « Lorsqu'on veut apprendre quelque chose, on ne prend pas un livre. On parle avec quelqu'un. [...] Je ne crois pas aux livres » (page 37) ?

15 Vous voulez expliquer à vos parents – qui ont du mal à vous comprendre – votre passion pour un style musical, une émission télévisée, un style vestimentaire... Vos parents posent des questions, demandent des arguments, des précisions. Transcrivez ce débat sous forme de dialogue, en utilisant le registre courant.

Chercher

16 Monsieur Ibrahim est comme un maître pour Momo ; on pourrait dire aussi qu'il est son « mentor » : trouvez le sens et l'origine de ce mot.

17 Qui est l'auteur français du texte intitulé *L'Âge d'homme* et publié en 1939 ?

18 Le philosophe Platon, né à Athènes en 427 avant Jésus-Christ, rencontre Socrate à vingt ans et l'accompagne jusqu'à sa condamnation à mort en 399 avant J.-C. Il laisse une œuvre écrite essentiellement composée de dialogues, dans laquelle il se fait le passeur de l'enseignement de Socrate. Il évoque et reprend à son compte la maïeutique socratique. Faites des recherches sur cet art.

À SAVOIR

LE RÉCIT DE FORMATION

C'est une catégorie qui trouve son origine et son modèle dans un roman allemand, *Les Années d'apprentissage de Wilhem Meister*, que Goethe rédige entre 1777 et 1796. Le roman raconte l'histoire d'un jeune homme contemporain de cette époque qui découvre l'amitié puis l'amour et, se heurtant aux réalités du monde, subit des épreuves, mûrit et apprend à se connaître.

Le récit de formation – ou d'apprentissage – désigne, au sens large, tout récit relatant le passage d'un adolescent à l'âge adulte, le développement d'une personnalité. Parmi les « classiques » de cette littérature, vous pouvez lire le roman autobiograhique de Jules Vallès intitulé *L'Enfant* et, bien sûr, *La Vie devant soi*, écrit par Romain Gary sous le pseudonyme d'Émile Ajar.

Lire

1 Déterminez quelle sorte de musulman est monsieur Ibrahim : dans quel pays est-il né ? À quel courant de l'islam se rattache-t-il ?

2 Monsieur Ibrahim a cette phrase récurrente : « Je sais ce qu'il y a dans mon Coran. » Quelle relation le personnage entretient-il avec le livre sacré ?

3 Quel juif est Momo ? Le texte évoque-t-il, au sujet du père, des préoccupations religieuses ou spirituelles ? Quelle est sa religion du livre ?

4 Qu'est-ce qui rapproche, à travers leur corps, Momo le juif et Ibrahim le musulman (page 39) ? Quel discours est implicitement contenu dans cette remarque de Momo : « Avec monsieur Ibrahim, je me rendais compte que les juifs, les musulmans et même les chrétiens, ils avaient eu plein de grands hommes en commun avant de se taper sur la gueule » ?

5 L'identité religieuse joue-t-elle un rôle déterminant dans l'amitié qui unit les deux hommes ?

6 Comment interpréteriez-vous le titre du récit ? Que sont ces « fleurs du Coran » ?

7 Rassemblez les renseignements que le texte donne à propos du soufisme (définition, pratiques, enseignements). Déterminez, à travers les paroles de monsieur Abdullah, son rapport à la beauté.

8 La religion de monsieur Ibrahim n'est-elle pas aussi un humanisme ? Quelle place donne-t-elle au corps, à la quête du bonheur, au « cœur » ? Que dit la citation de Rumi, à ce propos ?

9 Comment comprenez-vous cet enseignement de monsieur Ibrahim : « L'homme à qui Dieu n'a pas révélé la vie directement, ce n'est pas un livre qui la lui révélera » ?

10 Quels sont les effets de la danse sur Momo ? Mettez-les en relation avec ce vers extrait de la citation de Rumi : « Ce qui existe, anéantis-le : c'est la passion » (page 63).

11 Pourquoi monsieur Ibrahim ne craint-il pas la mort ? Comment conçoit-il le temps que l'homme passe dans ce monde-ci ?

12 Comment le Mohammed l'épicier de la fin du récit vous apparaît-il ? Quelle leçon de vie ses mots simples transmettent-ils ?

Écrire

13 Le titre est construit sur une métaphore, qui suggère l'épanouissement à travers le mot « fleurs ». Utilisez ce même mot, avec des compléments différents, dans des métaphores de votre invention.

14 Ibrahim dit à Momo : « Je ne meurs pas, [...] je vais rejoindre l'immense. » Et vous, que deviendrez-vous après la mort ? Comment vous représentez-vous ce passage, ce « voyage » ?

15 Aimeriez-vous recevoir un enseignement des religions à l'école ? Explorer ce vaste domaine vous séduirait-il ? Pensez-vous que cet enseignement pourrait être un outil de tolérance ?

Chercher

16 Qu'est-ce qu'on entend par « humanisme », « mysticisme », science « alchimique » ?

17 Observez une carte de l'islam dans le monde : quels sont les peuples qui ont adopté cette religion ? Où le soufisme a-t-il une influence ?

18 Faites une recherche sur ce qu'on appelle les « morts exemplaires » : celles de philosophes de l'Antiquité, comme Socrate ou Sénèque ; ou celles des « martyrs » de la chrétienté, par exemple.

À SAVOIR

LE SOUFISME

Ce mot a pour origine la robe de laine blanche (*souf* ou *çouf*) que portaient les premiers mystiques de l'islam, en signe d'ascèse et de pénitence. Les premiers groupes s'organisent à Koûfa et à Bassorah dès le VIIIe siècle, puis à Bagdad au IXe siècle.

Trois noms de soufis sont cités dans *Monsieur Ibrahim et les Fleurs du Coran* : Al-Halladj, qui connaît le martyre à Bagdad en 922, et qui témoigne de la rupture entre les tenants stricts de la loi musulmane et les soufis. En effet, ceux-ci se laissent guider par leur sentiment afin de pouvoir entrer en contact avec Dieu alors que l'orthodoxie de l'islam proclame l'inaccessibilité de Dieu ; Al-Ghazali (1058-1111), qui parvient à inscrire le mysticisme dans l'orthodoxie ; enfin, Djalal el-Din Rumi (mort en 1273), qui pendant neuf années s'initie auprès d'un ancien disciple de son père, puis rencontre un bijoutier avec lequel il noue une amitié très profonde. Un jour, entendant le son des marteaux qui servent à travailler l'or, il croit entendre une invocation du nom d'Allah et, pris d'une grande émotion, se met à danser au milieu de l'atelier. Cette danse devient plus tard la danse rituelle de ses disciples ; elle permet au soufi de « monter » vers Dieu. À la mort de Rumi, ses disciples font fleurir de nombreuses confréries qui se propagent dans le monde musulman et dans tout l'Empire ottoman (sous domination turque).

UN RÉALISME POÉTIQUE

Lire

1 Quelles sont les rues de Paris qui sont citées dans le texte ? Momo s'attarde-t-il à les décrire ?

2 Montrez que les personnages qui sont mis en scène rue Bleue (les prostituées, l'épicier arabe, Brigitte Bardot) sont traités de façon à lui donner vie et mystère. Étudiez les comparaisons que Momo fait à leur propos.

3 Comment le regard de monsieur Ibrahim transfigure-t-il la réalité ? Que dit-il de la Seine (page 28) ? Quel genre lui attribue-t-il ?

4 Le regard de Momo sur Paris est-il le même ? Que veut-il dire quand il dialogue avec monsieur Ibrahim en ces termes : « Ça doit être chouette d'habiter Paris. – Mais tu habites Paris, Momo. – Non, moi j'habite rue Bleue » (pages 28-29). Quel sens donne-t-il à la restriction ?

5 Pourquoi Momo pleure-t-il quand il arrive dans le Grand Hôtel de Cabourg ? Ces larmes sont sans doute le résultat d'une comparaison. Avec quels lieux ?

6 Page 14, trois noms de rue – sur les quatre cités – pourraient appartenir au même champ lexical : lequel ?

7 Montrez que les lieux choisis par l'auteur le sont souvent pour leur charge dramatique ou symbolique : comment le magasin de monsieur Ibrahim s'oppose-t-il à l'appartement que Momo partage avec son père ? Pourquoi le décor montre-t-il la rue, alors que le lycée est à peine évoqué ?

8 Interprétez cette petite phrase de monsieur Ibrahim : « La rue Bleue, c'est une jolie rue, même si elle n'est pas bleue » (page 62). En quoi cette façon de regarder les choses est-elle poétique ?

Écrire

9 Faites un choix de poèmes ou de chansons sur Paris.

10 Aimez-vous l'endroit dans lequel vous vivez ? Le trouvez-vous beau ? Vous est-il arrivé de le défendre ? Avec quels arguments ?

Chercher

11 Paris est encore une ville très cosmopolite : quels sont les quartiers où les peuples, les continents se côtoient, se mélangent ?

À SAVOIR

LES IMMIGRÉS DU IXe ARRONDISSEMENT

Monsieur Ibrahim est «depuis au moins quarante ans l'arabe d'une rue juive», dit Momo.
Dans son livre intitulé *Je me souviens du IXe arrondissement*, l'auteur Sonia Kronlund écrit : «Exodes, génocides, guerres coloniales et proche-orientales, crises économiques, les grandes catastrophes du siècle y ont, comme partout, laissé leurs traces. Des îlots d'histoires et de douleurs que l'on représente avec des flèches sur une carte du monde mais qui se racontent ici à la première personne.»
D'abord, il y a les Arméniens rescapés du terrible génocide de 1915 : ils sont marchands de tapis, épiciers, imprimeurs, libraires... Puis il y a les Juifs d'Europe centrale et orientale : ils sont tailleurs, fourreurs, coupeurs, diamantaires et sont arrivés dans les années 20. Jusqu'à la Seconde Guerre mondiale, ils représentent l'essentiel des artisans du Faubourg-Poissonnière ; peu survivent à la Shoah. En effet, les familles se regroupent par immeuble et il est très facile de les arrêter.
Avec la fin des années 50 et de la colonisation, ce quartier du IXe arrondissement connaît une nouvelle vague d'immigration : celle des Tunisiens, juifs ou non, qui s'installent dans l'épicerie, la boucherie, la restauration.
Ainsi, les deux pères de Momo appartiennent à ces vagues d'hommes et de femmes pour lesquels la France, Paris et la rue Bleue étaient souvent la fin d'un long voyage.

Lire

1 Quelles caractéristiques Momo partage-t-il avec un personnage de conte comme Cendrillon ? Analysez la place symbolique occupée par le jeune garçon dans la situation initiale en déterminant la relation aux parents et au frère.

2 Momo est animé par une vraie force de vie : dans quelles épreuves celle-ci lui permet-elle de rebondir ?

3 Comment monsieur Ibrahim apporte-t-il du merveilleux à la vie de Momo ? Quels « vœux », quels souhaits de Momo réalise-t-il ?

4 En quoi peut-on associer les prostituées au personnage de la « bonne fée » ?

5 Ce récit rappelle parfois les contes des *Mille et Une Nuits* : de quelle région du globe monsieur Ibrahim vient-il ? Par quelle image évoque-t-il son pays ? Pourquoi Momo lui suggère-t-il de voyager sur un « tapis volant » ?

6 Montrez que le voyage vers la Turquie se fait un peu comme en rêve : comment le temps, la durée, les paysages sont-ils représentés ?

7 Quelle « morale » pourrait-on inscrire à la fin de cette histoire ?

Écrire

8 Quels plaisirs de lecture les contes vous ont-ils apportés ? Aimiez-vous que l'on vous raconte une histoire au moment de vous endormir ? Quelles étaient alors vos sensations ?

9 Un génie vous a donné un tapis volant : quelle utilisation faites-vous de ce moyen de locomotion ? Quels pays visitez-vous ? Qui emmenez-vous avec vous ?

Chercher

10 Connaissez-vous le conte intitulé *Le Vilain Petit Canard* ? Retrouvez-le et lisez-le. Son héros ne vous rappelle-t-il pas quelqu'un ?

11 Lisez les contes de Voltaire qui sont les plus imprégnés de la matière des *Mille et Une Nuits* : *Zadig*, *La Princesse de Babylone* et *Le Taureau blanc*.

12 L'abandon d'un ou de plusieurs enfants est un thème récurrent dans les contes traditionnels de Charles Perrault, des frères Grimm ou d'Andersen. Citez des titres où ce thème apparaît.

13 Quelle différence établissez-vous entre une « fable », une « parabole » et un « apologue » ?

À SAVOIR

LE CONTE PHILOSOPHIQUE

Si *Monsieur Ibrahim et les Fleurs du Coran* est un conte, ce n'est pas vraiment à la manière des contes merveilleux : l'imagination de l'auteur ne se laisse jamais aller au pur plaisir de la narration. Pendant le voyage vers le Croissant d'Or, par exemple, les paysages, les coutumes, les humains sont presque abstraits et servent le discours philosophique ou spirituel de monsieur Ibrahim; ils semblent là pour incarner une longue réflexion sur la place de l'homme dans le monde, sur le sens de la vie, sur le bonheur...

Ce texte esquisse un subtil apologue en faveur de la vie et de la tolérance : il laisse dans notre oreille la voix fragile, le doux babil de monsieur Ibrahim.

Lire

1 Montrez que l'adaptation de François Dupeyron est très fidèle au récit : comparez le cadre de l'action, l'ordre dans lequel les événements sont présentés, les caractéristiques des personnages et leurs fonctions dans l'histoire.

2 Le réalisateur, à la différence de l'écrivain, est limité par le temps : il dispose d'une heure et demie environ pour raconter l'histoire. Il fait donc des choix et peut être amené à supprimer certaines scènes. Quelles coupures avez-vous repérées dans la narration du film ?

3 La couverture de cet ouvrage représente les deux personnages principaux. Dans quelle attitude sont-ils l'un par rapport à l'autre ? Quels sentiments traduisent l'expression des visages, la direction des regards ?
Quelle tonalité suggère-t-elle ? Que diriez-vous de la lumière, des couleurs de cette photo ? Vers quel point notre regard est-il attiré ?

4 À votre avis, le film a-t-il été tourné en studio ou sur les lieux qui correspondent au scénario ? Quelles modifications François Dupeyron a-t-il apportées à la représentation de l'espace ? Que représente, par exemple, l'escalier qui sépare la rue de l'appartement de celle de l'épicerie ?

5 Montrez que les choix du réalisateur s'expriment surtout par la bande-son : quel est l'univers musical de Momo ? Quelle place la musique occupe-t-elle dans sa vie ? En quoi Momo est-il très « adolescent » dans le film – bien plus que dans le récit ?

6 Quel personnage – à peine esquissé dans le texte – prend de l'importance dans le film ?

7 Que pensez-vous du choix des acteurs ? Comment vous étiez-vous imaginé Momo et monsieur Ibrahim en lisant le livre ? Leur jeu vous a-t-il ému(e) ?

Écrire

8 Essayez de rédiger une critique du film, à partir des éléments suivants : d'abord, présentez rapidement le cadre, l'époque, le décor de la situation initiale ; puis, le personnage principal – Momo – en insistant sur sa problématique (la vie avec le père, le désir de devenir un homme, les premières métamorphoses entraînées par sa rencontre avec monsieur Ibrahim...). Surtout, ne racontez pas l'histoire : ce n'est pas la fonction de la critique ! Ensuite, essayez de porter un jugement sur la direction des acteurs, la qualité de l'image, le rythme du film, la musique...

9 Omar Sharif a reçu, lors des Césars 2004, le prix du meilleur comédien. Quels arguments le jury a-t-il sans doute donnés en sa faveur ?

Chercher

10 Réalisez un dossier de presse au sujet d'un film que vous avez vu récemment en rassemblant les articles que vous avez pu lire dans la presse écrite ou sur Internet.

11 Établissez une fiche au sujet du réalisateur, François Dupeyron, et de l'acteur principal, Omar Sharif. Quels ont été les grands rôles de celui-ci ?

À SAVOIR

QUELQUES ÉLÉMENTS DE RÉALISATION

• Les mouvements de l'appareil

Le plan est fixe quand la caméra ne bouge pas durant toute la durée du plan ; il est panoramique quand la caméra opère un balayage par rotation sur son axe, horizontalement ou verticalement. Pour faire un travelling, la caméra doit être mobile sur des rails, des pneus, des véhicules. Il y a différentes sortes de travelling : le travelling arrière éloigne la caméra de son objet ; le travelling latéral le suit, de droite à gauche ou de gauche à droite ; le travelling d'accompagnement accompagne les mouvements d'un personnage en le suivant ou en le devançant ; le travelling subjectif épouse la vision d'un sujet en mouvement ; le travelling vertical déplace la caméra de bas en haut ou de haut en bas le long d'un axe vertical ; le travelling optique ou « zoom » rétrécit ou élargit le champ de vision.

• Le point de vue

Cette notion est fondamentale en littérature : elle permet de dire à propos d'un récit qui est en train de décrire, de parler, de voir. Elle renseigne sur le narrateur. Au cinéma, le point de vue se définit spatialement : c'est la place occupée par la caméra, c'est l'endroit à partir duquel a lieu la vision et d'où se structure l'espace. À hauteur d'homme, d'enfant, en vue plongeante ou en contre-plongée, de face, de dos, mobile ou immobile, linéaire, zigzagant, circulaire, latéral, le point de vue détermine des images dont la signification varie pour le spectateur. Il l'amène à se poser des questions sur ce qu'on lui montre et surtout sur l'intention qui est derrière le regard : pourquoi est-ce cela que le réalisateur me montre et de cette façon ?

I) CONTES SOUFIS

Djalal al-Din Rumi (1207-1273)

Le Mesnevi, 150 contes soufis, © Albin Michel

Les contes qui suivent sont extraits du *Mesnevi*, œuvre essentielle de Rumi, le fondateur de l'ordre des derviches tourneurs, mystique et sage du XIIIe siècle que nous avons déjà évoqué. Un jour, un ami de Rumi, nommé Celebi, lui suggère d'écrire son enseignement, afin que ses disciples puissent l'étudier. Rumi sort alors de son turban un feuillet sur lequel sont écrits les premiers vers de son œuvre.

Dans les poèmes du *Mesnevi*, on trouve des versets du Coran, des paroles du prophète, des légendes bibliques, des fables, des contes hindous ou bouddhistes, que Rumi utilisait pour illustrer son enseignement.

L'arbre du savoir

La rumeur circulait qu'il existait en Inde un arbre dont le fruit délivrait de la vieillesse et de la mort. Un sultan décida alors d'envoyer un de ses hommes à la recherche de cette merveille.

L'homme partit donc et, pendant des années, il visita maintes villes, maintes montagnes et maints plateaux. Quand il demandait aux passants où se trouvait cet arbre de vie, les gens souriaient en pensant qu'il était fou. Ceux qui avaient un cœur pur lui disaient :

« Ce sont des racontars ! Abandonne cette recherche ! »

D'autres, pour se moquer de lui, l'envoyaient vers des forêts lointaines.

Le pauvre homme n'atteignait jamais son but car ce qu'il demandait était impossible. Il perdit alors l'espoir et prit le chemin du retour, les larmes aux yeux.

En chemin, il rencontra un cheikh et lui dit :

« Ô cheikh, prends pitié de moi car je suis désespéré !

– Pourquoi es-tu si triste ?

– Mon sultan m'a chargé de trouver un arbre dont le fruit est le capital de la vie. Chacun le convoite. J'ai cherché longtemps, mais en vain. Et tout le monde s'est moqué de moi. »

Le cheikh se mit à rire :

« Ô cœur naïf et pur ! Cet arbre est le savoir. Seul le savant le comprend. On l'appelle parfois arbre, parfois soleil ou océan ou nuage. Ses œuvres sont infinies mais il est unique. Un homme est ton père, mais lui-même, il est le fils de quelqu'un d'autre. »

Le langage des animaux

Un jour, un homme se présenta devant Moïse et lui dit :

« Ô Moïse ! enseigne-moi le langage des animaux. Car ma foi ne peut qu'augmenter par cette connaissance. En effet, il y a certainement des leçons à tirer des conversations des animaux. Les hommes, quant à eux, ne parlent que d'eau et de pain. »

Moïse lui répondit :

« Va-t'en ! Ne t'occupe pas de cela. Il y a beaucoup de danger dans une telle entreprise. Si tu souhaites acquérir la sagesse, demande-la à Dieu, mais pas à des mots, à des livres ou à des lèvres ! »

Le désir du jeune homme ne fit qu'augmenter avec ce refus car l'envie qui rencontre un obstacle devient désir. Le jeune homme insista donc :

« Ne t'oppose pas à mon envie car cela est indigne de toi. Tu es le prophète et tu sais qu'un refus de ta part me plongerait dans la plus grande des tristesses. »

Moïse s'adressa alors à Dieu :

« Ô mon Dieu ! Ce naïf est tombé dans les mains de Satan ! Si je lui enseigne ce qu'il désire, il court à sa perte et si je refuse, il sera rempli de rancœur ! »

Dieu répondit alors à Moïse :

« Ô Moïse ! Fais ce qu'il te demande car je ne saurais laisser une prière sans réponse !

– Ô Seigneur ! dit Moïse, il s'en repentira amèrement car tous ne peuvent supporter un tel savoir !

– Accepte sa demande ! dit Dieu, ou du moins réponds-y partiellement. »

Moïse s'adressa alors au jeune homme :

« Tu risques de perdre ton honneur avec un tel souhait. Tu ferais mieux de renoncer car c'est Satan qui t'inspire par ruse un tel désir. Remplis-toi plutôt de la crainte de Dieu ! »

Le jeune homme le supplia :

« Enseigne-moi au moins le langage de mon chien et de mon coq ! »

Moïse lui répondit :

« Ceci est possible. Tu pourras comprendre le langage de ces deux espèces. »

Alors, le jeune homme rentra chez lui et attendit l'aube sur le pas de sa porte afin de tester son nouveau savoir. Au petit matin, sa servante se mit à nettoyer la table et fit tomber à terre quelques morceaux de pain. Le coq, qui passait par là, les avala. À cet instant, le chien accourut et lui dit :

« Ce que tu as fait est injuste. Toi, tu te nourris de graines mais pour moi, cela est impossible. Tu aurais dû me laisser ces morceaux de pain !

– Ne sois pas en peine ! répondit le coq, car Dieu a prévu d'autres faveurs pour toi ! Demain, le cheval de notre maître va périr et toi et tes compères, vous pourrez vous rassasier. Ce sera pour vous une liesse sans pareille ! »

En entendant ces paroles, le jeune homme fut rempli de surprise et il emmena son cheval au marché pour le vendre.

Le lendemain, le coq s'empare de nouveau des reliefs de son maître avant le chien. Celui-ci se mit à maugréer :

« Ô traître ! Ô menteur ! Où est ce cheval dont tu m'annonçais la mort ? »

Le coq répliqua sans se démonter :

« Mais le cheval est vraiment mort. Notre maître, en le vendant, a bien évité de le perdre mais c'était reculer pour mieux sauter car demain, c'est sa mule qui va mourir et vous aurez largement de quoi vous satisfaire ! »

Le jeune homme, saisi par le démon de l'avarice, alla vendre sa mule au marché, croyant ainsi éviter cette perte. Mais le troisième jour, le chien dit au coq :

« Ô tricheur ! Pour sûr, tu es le sultan des menteurs ! »

Le coq répondit :

« Le maître a vendu sa mule mais ne t'inquiète pas car demain, c'est son esclave qui va mourir. Et, comme c'est la coutume, il distribuera du pain aux pauvres et aux chiens. »

Ayant entendu ces mots, le jeune homme alla vendre son esclave en disant :

« J'ai évité trois catastrophes ! »

Mais, le lendemain, le chien se remit à invectiver le coq en le traitant de menteur. Celui-ci répondit alors :

« Non ! Non ! tu fais erreur. Ni moi ni aucun coq ne mentons jamais. Nous sommes comme les muezzins. Nous disons toujours la vérité. Notre travail consiste à guetter le soleil et, même si nous sommes enfermés, nous sentons sa venue dans notre cœur. Lorsque nous nous trompons, on nous coupe la tête !

« Vois-tu, poursuivit le coq, la personne qui a acheté l'esclave de notre maître a fait une bien mauvaise affaire car cet esclave est déjà mort. Mais demain, ce sera au tour de notre maître de mourir et ses héritiers en seront si contents qu'ils sacrifieront la vache. Je te le dis : demain sera un jour d'abondance pour tous. Tu seras satisfait au-delà de tes vœux. Notre maître, sous l'empire de l'avarice, a refusé de perdre quoi que ce soit. Ses biens s'en trouvent accrus mais lui, il va y perdre la vie. »

Quand il eut entendu cela, le jeune homme, tremblant de peur, se précipita chez Moïse et lui dit :

« Moïse ! Aide-moi ! »

Moïse répondit :

« Il faut que tu te sacrifies toi-même si tu veux te sauver car tu as reporté tes déboires sur les épaules des fidèles pour mieux remplir ton sac ! »

À ces mots, l'homme se mit à pleurer :

« Ne te montre pas si sévère ! Ne me tire pas l'oreille. Il est vrai que j'ai commis une chose indigne. Réponds à mon indignité par une nouvelle faveur !

– La flèche a quitté l'arc, dit Moïse et elle ne saurait faire demi-tour. Mais je prierai Dieu pour qu'il t'offre la foi car pour qui a la foi, la vie est éternelle. »

À cet instant même, le jeune homme fut pris d'un malaise cardiaque et quatre personnes l'emmenèrent chez lui. Quand vint l'aube, Moïse se mit à prier :

« Ô Seigneur ! Ne lui prends pas la vie avant qu'il n'ait acquis la foi. Il s'est mal conduit. Il a fait beaucoup d'erreurs, mais pardonne-lui ! N'avais-je pas dit qu'un tel savoir ne lui convenait pas ? Aucun oiseau ne peut plonger dans la mer s'il n'est pas un oiseau de mer. Lui, il a plongé sans être un oiseau de mer. Porte-lui secours car il se noie ! »

Dieu répondit :

« Je lui ai déjà pardonné et je lui offre la foi. Si tu le veux, je peux aussi lui donner la vie car pour toi, je ressusciterais les morts !

– Ô Seigneur, dit Moïse, ici c'est le monde des morts. L'au-delà, c'est le monde de la vie éternelle. Il est donc inutile que tu le ressuscites temporairement ! »

La vache et l'île

Sur une île verdoyante, une vache vivait dans la solitude. Elle y paissait jusqu'à la tombée de la nuit et engraissait ainsi chaque jour. La nuit, ne voyant plus l'herbe, elle s'inquiétait de ce qu'elle allait manger le lendemain et cette inquiétude la rendait aussi maigre qu'une plume. À l'aube, la prairie reverdissait et elle se remettait à paître avec son appétit bovin jusqu'au coucher du soleil. Elle était de nouveau grasse et pleine de force. Mais, la nuit suivante, elle recommençait à se lamenter et à maigrir.

Le temps avait beau s'écouler, jamais il ne lui venait à l'esprit que, la prairie ne diminuant pas, il n'y avait guère lieu de s'inquiéter de la sorte.

Ton ego est cette vache et l'île, c'est l'univers. La crainte du lendemain rend la vache maigre. Ne t'occupe pas du futur. Mieux vaut regarder le présent. Tu manges depuis des années et les dons de Dieu n'ont jamais pour autant diminué.

Souffle, patience, silence

Avant de mourir, un homme réunit ses trois fils et leur dit :

« Que celui d'entre vous qui est le plus sage soit l'héritier de tous mes biens, or ou argent. »

Après avoir prononcé ces mots en présence de ses enfants et du juge, il but le breuvage de la mort. Les trois fils se retournèrent alors vers le juge et lui dirent :

« Nous sommes trois orphelins prêts à respecter les dernières volontés de leur père ! »

Le juge réfléchit un instant et dit :

« Que chacun de vous me raconte une histoire afin que je puisse juger de sa maturité. Ou alors dites-moi quelle vertu particulière vous possédez. »

Le premier fils dit :

« Moi, je connais un homme dès l'instant qu'il parle et, s'il se tait, trois jours me suffisent pour arriver à le juger ! »

Le second dit :

« Si quelqu'un me parle, je comprends ce qu'il dit, et s'il ne parle pas, je l'y oblige !

– Oui, dit le juge, mais s'il est têtu et s'obstine à se taire ? »

Le troisième fils dit alors :

« Moi, j'observe mon souffle et reste silencieux. J'utilise la patience comme une échelle pour monter sur le toit du bonheur ! »

II) RENCONTRES DÉCISIVES

Le thème de la rencontre est presque un lieu commun de la littérature, peut-être parce que l'on devient écrivain grâce aux rencontres décisives avec des livres et des auteurs. Ce thème parcourt le travail d'Éric-Emmanuel Schmitt, les pièces de théâtre comme les romans. Il présente la rencontre comme une expérience fondatrice, souvent bouleversante, dont les personnages sortent changés. C'est le cas de Momo et des autres personnages que ce groupement vous fait découvrir. Comme pour Momo, le dialogue – même muet – avec l'Autre provoque la pensée et la construction de soi.

Éric-Emmanuel Schmitt (né en 1960)

L'Évangile selon Pilate, © Albin Michel, 2000

Ce roman est en deux parties : dans la première, Jésus attend qu'on vienne l'arrêter et revient sur tout ce qui lui est arrivé depuis son enfance. Il rappelle son trouble et celui de ses amis quand le prophète Yohanân lui a annoncé qu'il avait reconnu en lui l'Élu de Dieu. « Il n'y avait plus qu'une chose à faire : partir », dit Jésus. « Je devais échapper aux bavardages, aux influences. Depuis trente ans, tout le monde avait un avis sur mon destin, sauf moi. » Il fuit dans le désert, « là où il n'y a plus d'hommes, où la végétation est naturelle, sauvage, pauvre, où les points d'eau sont rares, là où l'on ne risque plus de faire de rencontres ». Du moins c'est ce qu'il croit…

Dans le désert, je ne souhaitais qu'une seule rencontre : moi. J'espérais me découvrir au bout de cette solitude. Si j'étais bien quelqu'un ou quelque chose, je devais me l'apprendre.

D'abord, je ne trouvai rien. Je n'éprouvais que des sentiments impersonnels; l'agacement, la fatigue, la faim, la peur du lendemain... Puis, après quelques jours, les salissures des dernières semaines s'éloignant, des habitudes frugales s'installant, je redevins l'enfant de Nazareth, cette attente pure de la vie, cet amour de chaque instant, cette adoration pour tout ce qui est. Je me sentais mieux mais j'étais très déçu. Ainsi, un homme, cela n'existait pas vraiment? En grattant les oripeaux de l'adulte, on ne récupérait qu'un enfant? Les années n'ajoutaient donc que des poils, de la barbe, des soucis, des querelles, des tentations, des cicatrices, de la fatigue, de la concupiscence, et rien d'autre?

C'est alors que je fis ma chute.

La chute qui bouscula ma vie. Qui me fit basculer.

Ce fut une chute immobile.

Je m'étais assis en haut d'un promontoire pelé. Il n'y avait rien à voir autour de moi que de l'espace. Il n'y avait rien à ressentir comme événement que le pur temps. Je m'ennuyais paisiblement. Je tenais mes genoux dans mes paumes, et là, subitement, sans bouger, j'ai commencé à tomber...

Je tombais...

Je tombais...

Je tombais...

Je dégringolais en moi-même. Comment aurais-je soupçonné qu'il y avait de telles falaises, un précipice aussi vertigineux, des centaines et des centaines de pas à l'intérieur d'un seul corps d'homme? Je dégringolais dans le vide.

Plus la chute s'accélérait, plus je criais. Mais la vitesse étouffait mon cri.

Puis j'eus le sentiment de ralentir. Je changeais de consistance. Je devenais moins lourd. Je perdais ma différence d'avec l'air. Je devenais de l'air.

L'accélération me ralentissait. La chute me rendait léger. Je finis par flotter.

Et lentement, la transformation s'accomplit.

C'était moi et ce n'était pas moi. J'avais un corps et je n'en avais plus. Je continuais à penser mais je ne disais plus « je ».

J'arrivai dans un océan de lumière.

Là, il faisait chaud.

Là, je comprenais tout.

Là, j'avais une confiance absolue.

J'étais descendu dans les forges de la vie, au centre, au foyer, là où tout se fond, se fonde et se décide. À l'intérieur de moi, je ne trouvais pas moi, mais plus que moi, bien plus que moi, une mer de lave en fusion, un infini mobile et changeant où je ne percevais aucun mot, aucune voix, aucun discours, mais où j'éprouvais une sensation nouvelle, terrible, géante, unique, inépuisable : le sentiment que tout est justifié.

Le bruit sec et furtif d'un lézard se faufilant dans les broussailles me fit revenir. En un instant, j'étais remonté de cette interminable chute, arraché au cœur du cœur du cœur de la Terre.

Combien d'heures s'étaient écoulées ?

La nuit s'étalait paisiblement devant moi, comme un repos donné au sable brûlé, aux herbes assoiffées, comme une récompense quotidienne.

J'étais bien. Je n'avais plus ni soif ni faim. Aucune tension ne me torturait. J'éprouvais un rassasiement essentiel.

Je ne m'étais pas trouvé, moi, au fond de ce désert. Non. J'avais trouvé Dieu.

Paul Auster (né en 1947)

Monsieur Vertigo, © Actes Sud, 1994

Paul Auster est un des grands écrivains contemporains de la littérature américaine. Il écrit des romans qui mêlent souvent plusieurs genres, et qui, avec suspense, conduisent une réflexion sur l'identité, le hasard, le « destin »... Dans *Monsieur Vertigo*, il raconte l'histoire presque métaphysique d'un petit garçon des rues de Saint Louis qui, recueilli par un mystérieux savant, maître Yehudi, apprend à voler. Ce que vous allez lire est le début du récit.

J'avais douze ans la première fois que j'ai marché sur l'eau. L'homme aux habits noirs m'avait appris à le faire, et je ne prétendrai pas avoir pigé ce truc du jour au lendemain. Quand maître Yehudi m'avait découvert, petit orphelin mendiant dans les rues de Saint Louis, je n'avais que neuf ans, et avant de me laisser m'exhiber en public, il avait travaillé avec moi sans relâche pendant trois ans. C'était en 1927, l'année de Babe Ruth et de Charles Lindbergh ; l'année même où la nuit a commencé à envahir le monde pour toujours. J'ai continué jusqu'à la veille de la Grande Crise, et ce que j'ai accompli est plus grand que tout ce dont auraient pu rêver ces deux cracks. J'ai fait ce qu'aucun Américain n'avait fait avant moi, ce que personne n'a fait depuis.

Maître Yehudi m'avait choisi parce que j'étais très petit, très sale, tout à fait abject. « Tu ne vaux pas mieux qu'un animal, m'avait-il dit, tu n'es qu'un bout de néant humain. » Telle fut la première phrase qu'il m'adressa, et bien que soixante-huit années se soient écoulées depuis ce soir-là, il me semble entendre encore ces mots dans la bouche du maître : Tu ne vaux pas mieux qu'un animal. Si tu restes où tu es, tu seras mort avant la fin de l'hiver. Si tu viens avec moi, je t'apprendrai à voler.

– Personne peut voler, m'sieu, répliquai-je. Y a que les oiseaux qui volent, et j'suis pas un oiseau, c'est sûr !

– Tu ne sais rien, fit maître Yehudi. Tu ne sais rien parce que tu n'es rien. Si je ne t'ai pas appris à voler pour ton treizième anniversaire, tu pourras me couper la tête à la hache. Je te mettrai ça par écrit, si tu veux. Si je manque à ma promesse, mon sort sera entre tes mains.

C'était un samedi soir, au début de novembre, et nous nous trouvions devant le *Paradise Cafe*, un bar rupin du centre-ville avec orchestre de jazz nègre et vendeuses de cigarettes en robe transparente. J'avais l'habitude de traîner là en fin de semaine pour taper un peu les milords, faire leurs commissions et leur trouver des taxis. Je pris d'abord maître Yehudi pour un ivrogne de plus, un riche alcoolo titubant dans la nuit en smoke noir et chapeau buse. Il avait un accent étrange et j'en déduisis qu'il n'était pas de la ville, mais sans chercher plus loin. Les ivrognes disent des bêtises, et cette histoire d'apprendre à voler n'était pas plus bête qu'une autre.

– Montez pas trop haut, dis-je, pourriez vous casser le cou à la descente.

– Nous parlerons technique plus tard, répondit-il. Ce n'est pas un talent facile à acquérir, mais si tu es attentif et si tu m'obéis, nous finirons tous deux millionnaires.

Fred Uhlman (1901-1985)

L'Ami retrouvé, 1978, trad. Léo Lack, © Éditions Gallimard

Fred Uhlman est né à Stuttgart en Allemagne, dans une famille juive, peu attachée aux traditions religieuses. Après la victoire des nazis aux élections législatives de 1933, il quitte son pays, s'installe d'abord à Paris, puis à Londres. Dans son roman *L'Ami retrouvé*, il fait raconter par Hans, élève au Karl

Alexander Gymnasium de Stuttgart en 1932, sa rencontre décisive avec celui qui lui fait découvrir l'amitié mais aussi la tragédie de l'existence : Conrad Graf von Hohenfels. Ce texte est extrait du cinquième chapitre.

Je rentrais de l'école par une douce et fraîche soirée de printemps. Les amandiers étaient en fleur, les crocus avaient fait leur apparition, le ciel était bleu pastel et vert d'eau, un ciel nordique avec un soupçon de ciel italien. J'aperçus Hohenfels devant moi. Il semblait hésiter et attendre quelqu'un. Je ralentis le pas – j'avais peur de le dépasser – mais il me fallait continuer mon chemin, car ne pas le faire eût été ridicule et il eût pu se méprendre sur mon hésitation. Quand je l'eus presque rattrapé, il se retourna et me sourit. Puis, d'un geste étrangement gauche et encore indécis, il serra ma main tremblante. « C'est toi, Hans ! » dit-il, et, tout à coup, je me rendis compte, à ma joie, à mon soulagement et à ma stupéfaction, qu'il était aussi timide que moi et, autant que moi, avait besoin d'un ami.

Je ne puis guère me rappeler ce que Conrad me dit ce jour-là ni ce que je lui dis. Tout ce que je sais est que, pendant une heure, nous marchâmes de long en large comme deux jeunes amoureux, encore nerveux, encore intimidés, mais je savais en quelque sorte que ce n'était là qu'un commencement et que, dès lors, ma vie ne serait plus morne et vide, mais pleine d'espoir et de richesse pour tous deux.

Quand je le quittai enfin, je courus sur tout le chemin du retour. Je riais, je parlais tout seul, j'avais envie de crier, de chanter, et je trouvai très difficile de ne pas dire à mes parents combien j'étais heureux, que toute ma vie avait changé et que je n'étais plus un mendiant, mais riche comme Crésus. Mes parents étaient, grâce à Dieu, trop absorbés pour observer le changement qui s'était fait en moi. Ils étaient habitués à mes expressions maussades et ennuyées, à mes réponses évasives et à mes silences prolongés, qu'ils attribuaient aux troubles de la croissance et à la mystérieuse transition de l'adolescence à l'âge viril. De temps à autre, ma mère avait essayé de pénétrer mes défenses et tenté une ou deux fois de me caresser les cheveux, mais elle y avait depuis longtemps renoncé, découragée par mon obstination et mon manque de réceptivité.

Mais, plus tard, une réaction se produisit. Je dormis mal parce que j'appréhendais le lendemain matin. Peut-être m'avait-il déjà oublié ou regrettait-il sa reddition ? Peut-être avais-je commis une erreur en lui laissant voir à quel point j'avais besoin de son amitié ? Aurais-je dû me montrer plus prudent, plus réservé ? Peut-être avait-il parlé de moi à ses parents et lui avaient-ils conseillé de ne pas se lier d'amitié avec un Juif ? Je continuai à me torturer ainsi jusqu'au moment où je tombai enfin dans un sommeil agité.

Jean-Jacques Rousseau (1712-1778)

Les Confessions, 1782

La première partie de ce texte autobiographique, écrite entre 1765 et 1767, retrace la jeunesse de Jean-Jacques : après une enfance plutôt douloureuse et un début d'adolescence vécu dans l'errance, il est « recueilli » par « une bonne dame bien charitable », madame de Warens. Il prend la route d'Annecy pour la rencontrer. Il a seize ans.

J'arrive enfin ; je vois Mme de Warens. Cette époque de ma vie a décidé de mon caractère ; je ne puis me résoudre à la passer légèrement. J'étais au milieu de ma seizième année. Sans être ce qu'on appelle un beau garçon, j'étais bien pris dans ma petite taille ; j'avais un joli pied, la jambe fine, l'air dégagé, la physionomie animée, la bouche mignonne, les sourcils et les cheveux noirs, les yeux petits et même enfoncés, mais qui lançaient avec force le feu dont mon sang était embrasé.

Malheureusement je ne savais rien de tout cela, et de ma vie il ne m'est arrivé de songer à ma figure, que lorsqu'il n'était plus temps d'en tirer parti. Ainsi j'avais avec la timidité de mon âge celle d'un naturel très aimant, toujours troublé par la crainte de déplaire. D'ailleurs, quoique j'eusse l'esprit assez orné, n'ayant jamais vu le monde, je manquais totalement de manières, et mes connaissances, loin d'y suppléer, ne servaient qu'à m'intimider davantage, en me faisant sentir combien j'en manquais.

Craignant donc que mon abord ne prévînt pas en ma faveur, je pris autrement mes avantages, et je fis une belle lettre en style d'orateur, où, cousant des phrases des livres avec des locutions d'apprentif, je déployais toute mon éloquence pour capter la bienveillance de Mme de Warens. J'enfermai la lettre de M. de Pontverre dans la mienne, et je partis pour cette terrible audience. Je ne trouvai point Mme de Warens ; on me dit qu'elle venait de sortir pour aller à l'église. C'était le jour des Rameaux de l'année 1728. Je cours pour la suivre : je la vois, je l'attends, je lui parle... Je dois me souvenir du lieu ; je l'ai souvent depuis mouillé de mes larmes et couvert de mes baisers. Que ne puis-je entourer d'un balustre d'or cette heureuse place ! que n'y puis-je attirer les hommages de toute la terre ! Quiconque aime à honorer les monuments du salut des hommes n'en devrait approcher qu'à genoux.

C'était un passage derrière sa maison, entre un ruisseau à main droite qui la séparait du jardin, et le mur de la cour à gauche, conduisant par une fausse porte à l'église des Cordeliers. Prête à entrer dans cette porte, Mme de Warens se retourne à ma voix. Que devins-je à cette vue ! Je m'étais figuré une vieille dévote bien rechignée ; la bonne Dame de M. de Pontverre ne pouvait être autre chose à mon avis. Je vois un visage pétri de grâces, de beaux yeux bleus pleins de douceur, un teint éblouissant, le contour d'une gorge enchanteresse. Rien n'échappa au rapide coup d'œil du jeune prosélyte ; car je devins à l'instant le sien, sûr qu'une religion prêchée par de tels missionnaires ne pouvait manquer de mener en paradis.

Pour la collection « Classiques & Contemporains », *Éric-Emmanuel Schmitt a accepté de répondre aux questions de Josiane Grinfas-Bouchibti, professeur de lettres, auteur du présent appareil pédagogique.*

Josiane Grinfas-Bouchibti : Vous avez une formation de philosophe, mais vous aimez aussi raconter des histoires. Quel conteur êtes-vous ?

Éric-Emmanuel Schmitt : J'aime que le personnage surgisse dès la première phrase, qu'il capte mon attention et qu'il s'empare de moi jusqu'à la dernière ligne. L'histoire que je raconte existe toujours dans mon esprit plusieurs mois, voire plusieurs années, avant d'être rédigée. Lorsque je prends la plume, je connais presque tous les événements à raconter, je n'ai plus qu'à tendre mon oreille à l'intérieur de moi, j'essaie d'entendre la juste voix de mes héros. Si Flaubert appelait son bureau son « gueuloir » parce qu'il y testait son texte à voix haute, moi j'appelle mon bureau mon « écoutoir ». Dans le silence, les personnages me parlent. Ils viennent. Ils sont présents. Dans ce livre, Momo commence par « À onze ans, j'ai cassé mon cochon et je suis allé voir les putes ». Immédiatement se dessine un garçon décidé, fort, non conventionnel, pas mièvre, capable du pire et du meilleur tant il est plein de pulsions. Par derrière, s'esquisse aussi le décor, un quartier populaire, un Paris non bourgeois. Après, je n'ai plus qu'à obéir à sa voix, ainsi qu'à celle de monsieur Ibrahim. Comme vous avez pu le voir, je tente de dire le minimum nécessaire, jamais plus. Je ne décris jamais :

j'évoque. J'utilise de brefs dialogues. Bref, je déteste les écrivains qui se répandent sur la page comme si elle leur appartenait : en réalité, elle appartient d'abord aux personnages. Si ceux-ci, tels Momo ou monsieur Ibrahim, ne sont pas bavards, il ne faut pas devenir bavard. Écrire, c'est se soumettre à ce qui doit être écrit, consentir à l'essentiel. Ni plus, ni moins. Derrière les histoires que je narre, il y a bien évidemment des soucis philosophiques : développer la tolérance, créer du respect pour les personnages de la vie quotidienne auxquels personne ne prête attention, faire connaître une religion, montrer comment l'on peut aborder avec courage la vie et la mort, etc. Les questions philosophiques, elles se posent dans la vie lorsque l'on a un problème et que l'on cherche à l'élucider ; elles ne sont pas faites pour l'école ou l'université ; elles demeurent nos interrogations intimes. Le roman me paraît donc un bon véhicule pour la réflexion.

J. G.-B. : Comment vous est venue l'idée de transformer la pièce de théâtre en récit ? Qu'est-ce que la forme narrative apporte à cette histoire d'amour ?

É.-E. S. : En fait, la pièce et le récit sont la même chose : un monologue. Momo, à quarante ans, monte sur scène et vient, seul, raconter son enfance. L'acteur jouant Momo adulte va jouer Momo enfant ainsi que monsieur Ibrahim. Momo adulte voyage à l'intérieur de son passé qu'il narre en évoquant tous les personnages. Par la poésie du théâtre, par le travail sur les voix, les intonations, les accents, par le jeu des lumières, des musiques, des sons, des accessoires, l'acteur va tout évoquer sur scène. Il va danser aussi, comme un derviche tourneur, lorsqu'il décrira le voyage en Orient… Vous savez, même s'il serait beau de voir monsieur Ibrahim « en vrai » comme au cinéma, il est aussi beau de voir monsieur Ibrahim seulement dans le souvenir de Momo, représenté avec tendresse et nostalgie par ce Momo qui l'a tellement aimé. Le moment de la mort devient même davantage émouvant.

J. G.-B. : Qu'est-ce qui vous a amené à choisir un jeune juif et un vieux musulman comme personnages de cette belle rencontre ?

É.-E. S. : Je voulais aller contre les idées reçues. Aujourd'hui, à cause du conflit israelo-palestinien, à cause des tensions internationales, on ne parle plus des juifs et des musulmans que comme des ennemis. Or, juifs et musulmans vivent ensemble et s'entendent très bien depuis des siècles ! Dans les pays du Maghreb, juifs et musulmans non seulement cohabitent mais se sentent plus proches entre eux que d'un cousin européen. En Occident, dans certains quartiers des grandes villes, comme ces rues parisiennes que j'évoque dans le texte où j'ai moi-même vécu, il y a aussi un vrai voisinage harmonieux, enrichissant, une solidarité qui s'exprime au-delà des différences. C'est pour cela que Momo est juif et monsieur Ibrahim musulman : chacun va apporter le bonheur à l'autre. Ils vont se changer la vie, ils vont se rendre heureux. Monsieur Ibrahim ne veut pas convertir Momo à la religion musulmane, il lui montre simplement comment lui vit avec elle. Momo ne deviendra sans doute pas musulman, même s'il lit le Coran et se met à prier comme un soufi. Par contre, il deviendra à son tour « l'arabe » de la rue Bleue.

J. G.-B. : Qu'est-ce qui vous touche dans le personnage de Momo ?

É.-E. S. : Sa force ! Rien ne l'abat. Alors qu'il vit une enfance terrible, qu'il manque d'une mère, qu'il subit un père dépressif, qu'il fait le ménage, le repas et les courses en plus de son travail scolaire, il ne baisse pas les bras. Il veut grandir, connaître les femmes, avoir une fiancée. Certes, il ne sait pas sourire et il pourrait investir sa rage de vivre dans des actes malhonnêtes (il vole déjà), devenir délinquant : fort heureusement, il rencontre monsieur Ibrahim et tout change. Le vieux sage, enfin, lui prête de l'attention, lui porte de l'amour et, avec humour, dénoue bien des nœuds qui l'étouffent. C'est une rencontre providentielle. Providentielle pour Momo comme pour monsieur Ibrahim, car je crois que l'adolescent apporte autant à l'épicier que celui-ci lui donne.

J. G.-B. : Comment avez-vous découvert les textes de Rumi et le soufisme ? Qu'est-ce qui vous séduit dans cette façon de penser l'homme et Dieu ?

É.-E. S. : Un ami m'a offert les poèmes de Rumi que j'ai trouvés magnifiques. Puis, toujours dans les livres, j'ai découvert le personnage de Nasreddine le Fou, personnage célébrissime dans la tradition orale arabo-musulmane, roublard, naïf, malicieux, dont les innombrables aventures sont des pieds de nez à la sagesse des sots, ce sage soufi si drôle et si déconcertant, presque un personnage de bande dessinée ou de dessin animé, qui joue tellement les étonnés que beaucoup le prennent pour un imbécile. Je trouvais que c'était merveilleux d'être intelligent sans en avoir l'air, d'apporter de la sagesse aux autres sans jamais donner l'impression de leur faire la leçon. Enfin, un jour, Bruno Abraham-Kremer, l'acteur à qui j'ai dédié le texte, est revenu bouleversé d'un voyage en Turquie. Il avait dansé dans les monastères, parlé avec des moines soufis. « Pourquoi ne pas parler des derviches tourneurs et de cette belle mystique musulmane ? » m'a-t-il proposé. Nous nous sommes dit, effectivement, que nos contemporains s'y intéressaient très peu. Quelques temps après, j'écrivais le texte que Bruno Abraham-Kremer a créé au Festival d'Avignon. Depuis, il a fait le tour de monde avec ce spectacle. Et le texte lui-même a été traduit, avec succès, dans une trentaine de langues.

J. G.-B. : Qu'avez-vous pensé de l'adaptation cinématographique de François Dupeyron ? et des acteurs ?

É.-E. S. : J'avais très peur que le film trahisse mon livre. J'ai d'abord refusé plusieurs propositions. Puis, même si j'avais accepté la proposition de François Dupeyron parce que j'avais adoré son précédent long métrage *La Chambre des Officiers*, j'ai craint une erreur jusqu'à ce que je voie le film achevé sur grand écran. J'aime le film. J'adore ses acteurs. Je trouve que la musique dynamique vient habilement remplacer l'humour présent dans le livre mais difficile à rendre en images. Cela m'a réconcilié avec le cinéma et, dans le même temps, lorsque je me rendais sur le tournage, je me disais : « C'est incroyable : pour évoquer la rue de Paradis et ses filles, il me suffit d'une phrase ; au cinéma, il faut bloquer plusieurs artères, engager et costumer des dizaines de figurants, louer des voitures d'époque, dépenser des millions en quelques jours pour quelques secondes à l'écran ! » Tout en admirant le travail cinématographique, j'en ai conclu que j'avais bien de la chance de créer ou de recréer le monde pour des centaines de milliers de lecteurs avec seulement un stylo et une feuille de papier. Je me sens très libre, depuis…

J. G.-B. : Le casting de cette adaptation est prestigieux : le réalisateur vous a-t-il demandé votre avis ?

É.-E. S. : Non. Le cinéma ne fonctionne pas comme le théâtre où je dois donner mon accord pour les acteurs (c'est souvent moi qui les choisis, d'ailleurs). Mais franchement, je ne serais jamais arrivé à trouver mieux qu'Omar Sharif et Pierre Boulanger. Mes personnages ont désormais leurs figures, même pour moi. Avec sa légèreté, son humanité, sa tendresse, Omar Sharif a trouvé là un de ses plus beaux rôles : il a d'ailleurs remporté le César du meilleur comédien et reçu un accueil magnifique dans tous les pays…

J. G.-B. : Que pensez-vous de l'idée qui consisterait à étudier en classe parallèlement votre roman et son adaptation cinématographique ?

É.-E. S. : Très bonne idée. C'est un excellent moyen de se connaître soi-même en comparant les deux arts majeurs de la narration : la narration romanesque et la narration cinématographique. Le roman tel que je le pratique fait énormément appel à l'imagination du lecteur. Le cinéma, lui, impose ses images à l'imagination. Le but de la comparaison ne serait pas décider qui est le meilleur, film ou livre, mais de découvrir si l'on est d'abord un lecteur ou d'abord un spectateur…

BIBLIOGRAPHIE

• Œuvres d'Éric-Emmanuel Schmitt que vous pouvez lire

– *L'Évangile selon Pilate*, Éditions Albin Michel, 2000.
– *Oscar et la Dame Rose*, Éditions Albin Michel, 2003.

• Sur le thème de l'amitié entre un enfant et une personne âgée

Romain Gary (Émile Ajar), *La Vie devant soi*, coll. « Folio », Éditions Gallimard, 1975.

• Récits de vie d'enfants ou d'adolescents

– Anonyme, *L'Herbe bleue*, Presse Pocket, 1975.
– Azouz Begag, *Le Gone du Chaâba*, coll. « Virgule », Le Seuil, 1986.
– Melvin Burgess, *Junk*, Gallimard Jeunesse, 1988.
– Zlata Filipovie, *Le Journal de Zlata*, Pocket, 1993.
– Claude Klotz, *Killer Kid*, Éditions Magnard, 2001.
– Ilse Koehn, *Mon enfance en Allemagne nazie*, L'École des loisirs, 1981.
– Susie Morgenstern, *La Première Fois que j'ai eu seize ans*, L'École des loisirs, 1989.
– Fred Uhlman, *L'Ami retrouvé*, coll. « Folio », Éditions Gallimard, 1978.
– Richard Wright, *Black Boy*, coll. « Folio », Éditions Gallimard, 1994.

FILMOGRAPHIE

– *Le Vieil Homme et l'Enfant*, Claude Berri, 1966.
– *La Vie devant soi*, Moshé Mizrahi, 1977.
– *17, rue Bleue*, Chad Chenouga, 2001.
– *Le Papillon*, Philippe Muyl, 2003.
– *Malabar Princess*, Gilles Legrand, 2003.
– *Monsieur Ibrahim et les fleurs du Coran*, François Dupeyron, 2003.

SITE INTERNET

Le site officiel de l'auteur : www.eric-emmanuel-schmitt.com

MUSIQUE

Derviches tourneurs de Turquie, La cérémonie des Mevlevî, Arion.

VISITE

La Mosquée de Paris : 39, rue Geoffroy-Saint-Hilaire, 75005 Paris.

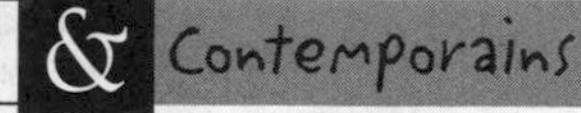

SÉRIE « LES GRANDS CONTEMPORAINS PRÉSENTENT »

D. Daeninckx présente *21 récits policiers*
É.-E. Schmitt présente *13 récits d'enfance et d'adolescence*

Anouilh, *L'Hurluberlu – Pièce grinçante*
Anouilh, *Pièces roses*
Balzac, *La Bourse*
Balzac, *Sarrazine*
Barbara, *L'Assassinat du Pont-Rouge*
Begag, *Salam Ouessant*
Bégaudeau, *Le Problème*
Ben Jelloun, Chedid, Desplechin, Ernaux, *Récits d'enfance*
Benoit, *L'Atlantide*
Boccace, Poe, James, Boyle, etc., *Nouvelles du fléau – Petite chronique de l'épidémie à travers les âges*
Boisset, *Le Grimoire d'Arkandias*
Boisset, *Nicostratos*
Braun (entretien avec Stéphane Guinoiseau), *Personne ne m'aurait cru, alors je me suis tu*
Brontë, *L'Hôtel Stancliffe*
Calvino, *Le Vicomte pourfendu*
Cauvin, *Menteur*
Chaine, *Mémoires d'un rat*
Ciravégna, *Les Tambours de la nuit*
Colette, *Claudine à l'école*
Conan Doyle, *Le Monde perdu*
Conan Doyle, *Trois Aventures de Sherlock Holmes*
Corneille, *Le Menteur*
Corneille, *Médée*
Cossery, *Les Hommes oubliés de Dieu*
Coulon, *Le roi n'a pas sommeil*
Courteline, *La Cruche*
Daeninckx, *Cannibale*
Daeninckx, *Histoire et faux-semblants*
Daeninckx, *L'Espoir en contrebande*
Dahl, Bradbury, Borges, Brown, *Nouvelles à chute 2*
Daudet, *Contes choisis*
Defoe, *Robinson Crusoé*
Diderot, *Supplément au Voyage de Bougainville*
Dorgelès, *Les Croix de bois*
Dostoïevski, *Carnets du sous-sol*
du Maurier, *Les Oiseaux et deux autres nouvelles*
Dubillard, Gripari, Grumberg, Tardieu, *Courtes pièces à lire et à jouer*
Dumas, *La Dame pâle*
Dumas, *Le Bagnard de l'Opéra*
Feydeau, *Dormez, je le veux !*
Fioretto, *Et si c'était niais ? – Pastiches contemporains*
Flaubert, *Lettres à Louise Colet*
Gaudé, *Médée Kali*
Gaudé, *Salina*
Gaudé, *Voyages en terres inconnues – Deux récits sidérants*
Gavalda, Buzzati, Cortázar, Bourgeyx, Kassak, Mérigeau, *Nouvelles à chute*
Germain, *Magnus*
Giraudoux, *Ondine*
Higgins Clark, *La Nuit du renard*
Higgins Clark, *Le Billet gagnant et deux autres nouvelles*
Highsmith, Poe, Maupassant, Daudet, *Nouvelles animalières*
Hoffmann, *L'Homme au sable*
Hoffmann, *Mademoiselle de Scudéry*
Huch, *Le Dernier Été*
Hugo, *Claude Gueux*
Hugo, *Théâtre en liberté*
Jacq, *La Fiancée du Nil*
Jarry, *Ubu roi*
Kafka, *La Métamorphose*
Kamanda, *Les Contes du Griot*
King, *Cette impression qui n'a de nom qu'en français et trois autres nouvelles*
King, *La Cadillac de Dolan*
Kipling, *Histoires comme ça*
Klotz, *Killer Kid*
Leblanc, *Arsène Lupin, gentleman-cambrioleur*
Leroux, *Le Mystère de la chambre jaune*
Lewis, *Pourquoi j'ai mangé mon père*
London, *L'Appel de la forêt*
Loti, *Le Roman d'un enfant*
Lowery, *La Cicatrice*
Maran, *Batouala*
Marivaux, *La Colonie* suivi de *L'Île des esclaves*
Maupassant, *Les deux Horla*
Maupassant, *Les Dimanches d'un bourgeois de Paris*
Mérimée, *Tamango*
Molière, *Dom Juan*
Molière, *George Dandin*
Molière, *Le Malade imaginaire*
Molière, *Le Sicilien ou l'Amour peintre*
Musset, *Lorenzaccio*
Némirovsky, *Jézabel*

Nothomb, *Le Sabotage amoureux*
Nothomb, *Métaphysique des tubes*
Nothomb, *Stupeur et Tremblements*
Nothomb, *Barbe bleue*
Olivier Adam, *Je vais bien, ne t'en fais pas*
Pergaud, *La Guerre des boutons*
Perrault, Mme d'Aulnoy, etc., *Contes merveilleux*
Petan, *Le Procès du loup*
Poe, Gautier, Maupassant, Gogol, *Nouvelles fantastiques*
Pons, *Délicieuses frayeurs*
Pouchkine, *La Dame de pique*
Reboux et Muller, *À la manière de... – Pastiches classiques*
Renard, *Huit jours à la campagne*
Renard, *Poil de Carotte* (comédie en un acte), suivi de *La Bigote* (comédie en deux actes)
Reza, *« Art »*
Reza, *Le Dieu du carnage*
Reza, *Trois versions de la vie*
Ribes, *Trois pièces facétieuses*
Rouquette, *Médée*
Sand, *Marianne*
Schmitt, *Crime parfait et Les Mauvaises Lectures – Deux nouvelles à chute*
Schmitt, *L'Enfant de Noé*
Schmitt, *La Nuit de Valognes*
Schmitt, *Le Visiteur*
Schmitt, *Milarepa*
Schmitt, *Monsieur Ibrahim et les fleurs du Coran*
Schmitt, *Oscar et la dame rose*
Schmitt, *Hôtel des deux mondes*
Sévigné, *Diderot, Voltaire, Sand, Lettres choisies*
Signol, *La Grande Île*
Stendhal, *Vanina Vanini*
Stevenson, *Le Cas étrange du Dr Jekyll et de M. Hyde*
t'Serstevens, *Taïa*
Uhlman, *La Lettre de Conrad*
van Cauwelaert, *Cheyenne*
Vargas, *Debout les morts*
Vargas, *L'Homme à l'envers*
Vargas, *L'Homme aux cercles bleus*
Vargas, *Pars vite et reviens tard*
Vercel, *Capitaine Conan*
Vercors, *Le Silence de la mer*
Vercors, *Zoo ou l'assassin philanthrope*
Verne, *Sans dessus dessous*
Voltaire, *L'Ingénu*
Werth, *33 Jours*
Wilde, *Le Crime de Lord Arthur Savile*
Zola, *Thérèse Raquin*
Zweig, *Lettre d'une inconnue*

Recueils et anonymes

90 poèmes classiques et contemporains
Ceci n'est pas un conte et autres contes excentriques du XVIIIe siècle
Ces objets qui nous envahissent : objets cultes, culte des objets (anthologie BTS)
Cette part de rêve que chacun porte en soi (anthologie BTS)
Contes populaires de Palestine
Histoires vraies – Le Fait divers dans la presse du XVIe au XXIe siècle
Initiation à la poésie du Moyen Âge à nos jours
Je me souviens (recueil BTS)
La Dernière Lettre – Paroles de Résistants fusillés en France (1941-1944)
La Farce de Maître Pierre Pathelin
La poésie dans le monde et dans le siècle – Poèmes engagés
La Presse dans tous ses états – Lire les journaux du XVIIe au XXIe siècle
La Résistance en poésie – Des poèmes pour résister
La Résistance en prose – Des mots pour résister
Le Roman de Renart
Les Aventures extraordinaires d'Adèle Blanc-Sec
Les Grands Textes du Moyen Âge et du XVIe siècle
Les Grands Textes fondateurs
Nouvelles francophones

SÉRIE BANDE DESSINÉE (en coédition avec Casterman)

Beuriot et Richelle, *Amours fragiles – Le Dernier Printemps*
Bilal et Christin, *Les Phalanges de l'Ordre noir*
Comès, *Silence*
Ferrandez et Benacquista, *L'Outremangeur*
Ferrandez, *Carnets d'Orient – Le Cimetière des Princesses*
Franquin, *Idées noires*
Manchette et Tardi, *Griffu*
Martin, *Alix – L'Enfant grec*
Pagnol et Ferrandez, *L'Eau des collines – Jean de Florette*
Pratt, *Corto Maltese – Fable de Venise*
Pratt, *Corto Maltese – La Jeunesse de Corto*
Pratt, *Saint-Exupéry – Le Dernier Vol*
Stevenson, *Pratt et Milani, L'Île au trésor*
Tardi et Daeninckx, *Le Der des ders*
Tardi, *Adèle Blanc-sec – Adèle et la Bête*
Tardi, *Adèle Blanc-sec – Le Démon de la Tour Eiffel*
Tardi, *Adieu Brindavoine suivi de La Fleur au fusil*
Tito, *Soledad – La Mémoire blessée*
Tito, *Tendre banlieue – Appel au calme*
Utsumi et Taniguchi, *L'Orme du Caucase*
Wagner et Seiter, *Mysteries – Seule contre la loi*

Couverture
Conception graphique : Marie-Astrid Bailly-Maître
Adaptation : Cécile Gallou
Photo extraite du film de François Dupeyron (2003) avec Omar Sharif et Pierre Boulanger, © Christophe L.

Intérieur
Conception graphique : Marie-Astrid Bailly-Maître
Édition : Carole Gavaggio
Réalisation : Nord Compo, Villeneuve-d'Ascq

www.magnard.fr

IMPRIM'VERT
Votre imprimeur agit pour l'environnement

Achevé d'imprimer en Février 2016
par « La Tipografica Varese Srl »
N° éditeur : 2016-0735
Dépôt légal : juin 2004

Certifié PEFC
Ce produit est issu de forêts gérées durablement et de sources contrôlées
www.pefc-france.org